HTML 4

Michel Dreyfus

CampusPress a apporté le plus grand soin à la réalisation de ce livre afin de vous fournir une information complète et fiable. Cependant, CampusPress n'assume de responsabilités, ni pour son utilisation, ni pour les contrefaçons de brevets ou atteintes aux droits de tierces personnes qui pourraient résulter de cette utilisation.

Les exemples ou les programmes présents dans cet ouvrage sont fournis pour illustrer les descriptions théoriques. Ils ne sont en aucun cas destinés à une utilisation commerciale ou professionnelle.

CampusPress ne pourra en aucun cas être tenu pour responsable des préjudices ou dommages de quelque nature que ce soit pouvant résulter de l'utilisation de ces exemples ou programmes.

Tous les noms de produits ou marques cités dans ce livre sont des marques déposées par leurs propriétaires respectifs.

Publié par CampusPress
47 bis, rue des Vinaigriers
75010 PARIS
Tél. : 01 72 74 90 00

Mise en pages : TyPAO

ISBN : 2-7440-1772-8

CampusPress est une marque
de Pearson Education France

Auteur : Michel Dreyfus

Table des matières

Introduction

Contenu

Ce livre présente, dans un classement alphabétique, la liste des balises définies pour HTML 4 par le consortium W3C[1]. Pour chacune d'entre elles, on trouvera une description respectant un cadre général défini plus bas.

Nous avons pensé qu'en plus de ces balises *officielles*, il était nécessaire de présenter les extensions apportées aux précédentes spécifications par Netscape et Microsoft, qui n'ont pas été reprises par HTML 4, mais qui continuent néanmoins d'être supportées par les navigateurs actuels. Dans un souci d'exhaustivité, nous avons aussi mentionné la poignée de balises "discréditées" par le W3C (signalées comme *deprecated*).

En dehors des balises servant à inclure ou à référencer des feuilles ou des règles de style, on ne trouvera pas ici le détail des propriétés utilisables dans les feuilles de style puisqu'elles ne font pas strictement partie de HTML. Le choix du W3C s'est arrêté sur le principe des feuilles de style en cascade (CSS1 et CSS2), mais il s'agit là d'une spécification différente de celle de HTML proprement dit. L'Annexe A présentera un aperçu assez complet de CSS1.

En ce qui concerne Dynamic HTML, il faudrait un livre entier pour exposer les conceptions divergentes adoptées par Netscape et Microsoft, les deux éditeurs qui assurent plus de 90 % du marché des navigateurs. Aussi avons-nous préféré ne pas risquer d'embrouiller le lecteur en incorporant ces éléments dans le corps de l'ouvrage. Son principe et quelques exemples d'application sont donnés dans l'Annexe B, en compagnie de quelques généralités concernant XML et MathML.

Lectorat

De la même façon qu'on n'apprend pas l'anglais avec un dictionnaire français/anglais, il ne paraît guère possible de s'initier aux joies du Web avec un simple répertoire analytique et alphabétique des éléments de HTML. Comme tout langage, HTML a sa grammaire qu'il faut connaître pour associer correctement les mots composant le vocabulaire du langage.

Aussi, ce livre est-il principalement destiné aux auteurs Web sachant à peu près quelle balise doit être utilisée pour telle ou telle partie de leur page, mais n'ayant pas nécessairement en tête ses spécifications précises avec la liste et la description des attributs, parfois nombreux, qui peuvent y être associés. Egalement à ceux qui ont commencé à utiliser un éditeur HTML qui leur évite tout contact direct avec les éléments du langage, mais qui ont la curiosité de voir comment ça se

1. Le W3C (*World Wide Web Consortium*) est l'organisation chargée d'élaborer les spécifications concernant le Web.

passe sous le capot et qui voudraient comprendre à quoi servent les éléments du code généré par l'éditeur.

Mais celui qui est encore peu expérimenté avec HTML n'a pas été oublié : la Partie 3 lui est dédiée. Plus qu'un glossaire, c'est une liste de quelque cent vingt mots avec des explications détaillées à la fin desquelles on trouvera cités, lorsque c'est possible, les éléments de HTML concernés par le terme défini.

Organisation

On peut classer les éléments du "langage" HTML en deux grandes catégories : les *éléments* proprement dits (ce qu'on appelle généralement les *balises*) et les *attributs*.

Outre cette Introduction, ce livre comprend trois parties et six annexes :

- Partie I : les éléments HTML (description des balises).
- Partie II : les attributs HTML (description des attributs).
- Partie III : les mots du Web (vocabulaire technique plus ou moins spécialisé).
- Annexe A : généralités sur les feuilles de style.
- Annexe B : la filiation de HTML (Dynamic HTML, XML et MathML).
- Annexe C : les entités de caractères.
- Annexe D : les noms de couleurs.
- Annexe E : les principaux types MIME.
- Annexe F : courte bibliographie.

Documents de référence

Les descriptions données ici sont conformes au document le plus récent publié par le W3C qui était disponible au moment de l'écriture de ce livre. On pourra le consulter à l'URL :

http://www.w3.org/TR/1999/REC-html401-19991224

Par rapport à la précédente version (**http://www.w3.org/TR/1999/PR-html40-19990824**), il ne comporte que des rectifications "cosmétiques", ce qui justifie que nous ne fassions pas de distinction entre HTML 4 et HTML 4.01 dans ce livre.

Le paragraphe *Status of this document* indique (nous traduisons) :

> Ce document a été révisé par les membres du W3C et les autres parties intéressées, et a été approuvé par le directeur en tant que recommandation du

W3C. C'est un document stable qui peut être utilisé comme matériau de référence ou cité comme référence normative dans d'autres documents.

Comme il s'agit d'un manuel pratique et non pas d'un ouvrage destiné à des spécialistes des langages, nous nous sommes permis quelques licences par rapport à ce document. En particulier, nous avons remplacé le terme *URI* par *URL*, plus couramment utilisé et compris. Sur le plan formel, une URL est un sous-ensemble des URI. Cela n'introduit aucune différence dans l'utilisation pratique de ce livre.

Mise en pages et pictogrammes

Pour faciliter la lecture du livre, nous avons délibérément choisi d'écrire les caractères accentués tels quels et non pas, comme doit le faire tout auteur Web sérieux, au moyen d'entités (`é` pour "é", par exemple).

Pour indiquer certaines caractéristiques générales des éléments HTML, nous avons utilisé les pictogrammes suivants :

Déconseillé par HTML 4[1].

Extension Microsoft (Internet Explorer).

Extension Netscape.

Non reconnu par Internet Explorer.

Non reconnu par Netscape Navigator.

Nouveauté HTML 4.

Lorsqu'il est indiqué que l'élément est une extension Microsoft ou Netscape, cela sous-entend qu'il n'a pas été repris par le W3C et qu'il ne fait donc pas strictement partie de HTML 4.

Il existe une autre catégorie d'éléments : ceux qui sont considérés comme "obsolètes". Un élément obsolète est défini comme étant un élément dont la reconnaissance n'est plus garantie par les navigateurs. Les éléments considérés

1. Voici ce que le W3C entend par "déconseillé" :
"Un élément ou attribut déconseillé est une entité qui est considérée comme périmée par suite de l'apparition de nouvelles constructions et qui peut devenir obsolète dans les futures versions de HTML".

comme obsolètes par le W3C sont : `LISTING`, `PLAINTEXT` et `XMP`. Il n'en sera pas question dans ce livre.

A l'occasion, vous trouverez aussi dans le texte :

Info

Complément d'information relatif au sujet traité.

Astuce

Astuces diverses : raccourci clavier, option "magique", technique réservée aux experts...

Attention

Point délicat, manipulation risquée, piège caché.

Remarques

Entre les spécifications élaborées par le W3C et les implémentations qui en sont faites par les éditeurs de navigateurs, on a pu constater dans le passé de notables différences. HTML 4 était censé apporter un peu d'ordre dans cette situation puisque ces mêmes éditeurs avaient participé aux réunions de travail ayant précédé l'élaboration de la spécification. Cependant, force est de constater que, plus d'un an après la première annonce, nombre d'éléments et d'attributs restent ignorés de Netscape Navigator et de Internet Explorer.

Nous nous sommes fait un devoir de contrôler le comportement de chaque élément et de chaque attribut HTML avec Netscape Communicator 4.7 et Internet Explorer 5.0. Dans les cas d'éléments ignorés par ces deux navigateurs qui, rappelons-le, se partagent plus de 90 % du marché concerné, force nous a été de comprendre ce que voulait dire la spécification du W3C, ce qui n'est pas toujours chose facile. En outre, dans certains cas, le document de référence indique qu'une certaine latitude d'interprétation est laissée au *user agent* (traduisez : navigateur). Dans de tels cas, il faudra attendre que les éléments "douteux" fassent l'objet d'une implémentation pour trancher.

Nous avons tenté de faire certaines vérifications avec Amaya[1], qui est un navigateur expérimental réalisé sous l'autorité du W3C. Malheureusement, son état

1. Pour tout renseignement sur ce navigateur, on consultera le document HTML dont l'URL est **http://www.w3.org/Amaya/User/BinDist.html**.

actuel le situe très nettement en deçà de ses "collègues" de chez Microsoft et Netscape.

Enfin, on dit beaucoup de bien, depuis plus d'un an, d'un navigateur d'origine norvégienne, Opera, dont la dernière version (diffusée fin 1999) porte le numéro 3.61. Ces éloges relèvent davantage d'un phénomène de "rumeur" (qui se propage d'une façon incontrôlée) que d'essais conduits avec rigueur. Nous aurions souhaité pouvoir mettre ses qualités en avant et en recommander l'utilisation. Hélas, si son implémentation des balises HTML proprement dites ne mérite pas de gros reproches, il est très en retard en ce qui concerne les feuilles de style, Javascript et Java, trois adjonctions à HTML de plus en plus utilisées dans les pages Web actuelles. Ce serait alors courir le risque de perdre toute crédibilité auprès de nos lecteurs.

La situation actuelle des spécifications et des navigateurs est comparable à l'éternelle lutte du boulet et de la cuirasse, les progrès de l'un étant rattrapés par ceux de l'autre au bout d'un certain temps. On est dans une situation qui rappelle les bouleversements apportés dans l'industrie de l'enregistrement musical par le microsillon d'abord, par le CD ensuite. Il a fallu chaque fois attendre assez longtemps pour que tout le monde soit équipé du matériel nécessaire pour utiliser le nouveau support.

Si les amateurs passionnés d'informatique se précipitent régulièrement, à leurs risques et périls, sur les versions des logiciels les plus récentes, dans les entreprises, on ne peut pas se permettre de telles fantaisies et on attache du prix à conserver aussi longtemps que possible des versions stables et sûres des logiciels en service.

Sans vouloir témoigner d'un pessimisme trop prononcé, nous pensons que l'auteur Web fera bien d'ignorer bon nombre des innovations qui fleurissent à un rythme soutenu s'il veut que ses pages puissent être correctement vues par la majorité des surfeurs du Web.

1
Les éléments HTML

Eléments obsolètes, périmés ou dont l'emploi est déconseillé

Comme nous l'avons écrit dans l'Introduction, le W3C a décidé de réorganiser les éléments HTML, ce qui peut entraîner quelques changements dans les habitudes des auteurs Web soucieux de se conformer aux spécifications les plus récentes.

> **Info**
>
> Le terme anglais utilisé par le W3C pour indiquer que l'usage d'un élément ou d'un attribut est déconseillé est *deprecated*, qui signifie "déconseillé, désapprouvé". C'est donc une erreur de dire que le W3C a *déprécié* l'emploi de certains termes. Si ça avait été le cas, les auteurs de la spécification auraient utilisé le mot *depreciated*.

Eléments obsolètes ou périmés

Les éléments déclarés "obsolètes" par leW3C sont des éléments dont le support n'est pas garanti dans les futures versions de HTML.

Ce sont :

- `LISTING` ;
- `PLAINTEXT` ;
- `XMP`.

Par chance, il se trouve que ces éléments n'étaient pratiquement jamais utilisés. (L'implémentation réalisée pour le dernier était d'ailleurs très variable selon les navigateurs et relevait d'une certaine... fantaisie.) A leur place, les auteurs Web pourront utiliser l'élément `PRE` ou les feuilles de style.

Il existe d'autres éléments plus ou moins fantomatiques et à propos desquels on pourrait parler de survivance des temps héroïques. Ce sont : `NOBR`, `WBR`, `COMMENT` et `NEXTID`. Les deux premiers ont été inclus dans notre classification, les autres étant ignorés. Cette décision a été prise en fonction de l'usage qui pouvait être fait de ces éléments et de leur support actuel par les navigateurs courants.

Eléments dont l'emploi est déconseillé

L'emploi des éléments suivants est déconseillé par le W3C :

- APPLET ;
- BASEFONT ;
- CENTER ;
- DIR ;
- FONT ;
- ISINDEX ;
- MENU ;
- STRIKE ;
- U.

Certains de ces éléments ont été, par le passé, assez largement utilisés, et il est plus que probable que les nouveaux navigateurs continueront de les reconnaître. En conséquence, ils figureront à leur place dans cette Partie I.

Bien que le W3C conseille de les remplacer par les feuilles de style, il ne faut pas se montrer trop puriste et répudier résolument tous les éléments et attributs ainsi "déclassés". Ce serait une grave erreur, pour au moins trois raisons :

- Fin 99, l'implémentation des feuilles de style par les navigateurs récents laisse, en effet, encore à désirer (voir Annexe A). Dans leurs dernières versions, Internet Explorer en reconnaît environ les trois quarts, mais Netscape Navigator, moins de la moitié. De plus, leurs interprétations d'un même style sont parfois divergentes.
- Il existe des cas (la valeur initiale de la numérotation pour les listes ordonnées, par exemple), où rien n'existe dans CSS1 pour remplacer l'attribut `start`, condamné par le W3C.
- Bon nombre de navigateurs n'ont toujours pas implémenté les feuilles de style ou n'en ont réalisé qu'une implémentation partielle ou approximative. C'est le cas, par exemple, du navigateur norvégien Opera dont nous avons déjà signalé dans l'Introduction les faiblesses dans ce domaine. Pour savoir à quoi s'en tenir, nous conseillons au lecteur d'examiner les Figures A.1 à A.4 de l'Annexe A.
- Enfin, nous en sommes actuellement (en ce qui concerne les spécifications élaborées par le W3C) à CSS2 et on commence à parler de CSS3. Les éditeurs de navigateurs sont toujours loin derrière !

Nous mettons donc en garde les auteurs Web contre un enthousiasme excessif pour la richesse et la souplesse des feuilles de style et leur suggérons de continuer à utiliser tranquillement, pendant un "certain" temps, les éléments dont l'emploi est déconseillé. Ils seront ainsi assurés de voir leur page Web reconnue et interprétée sans faille par la quasi totalité des surfeurs du Web.

Attention

L'utilisation des attributs d'un élément dont l'emploi est déconseillé est automatiquement déconseillée elle aussi. Cette restriction ne sera pas rappelée dans la description de l'élément.

Signification des rubriques utilisées pour chaque élément

HTML est un langage à balises. Certaines commandes se contentent d'une seule balise que l'on peut alors nommer *marqueur*. D'autres demandent une balise initiale et une balise terminale entre lesquelles on place les objets HTML sur lesquels porte la commande. Pour simplifier, — suivant en cela les conventions du W3C — nous appellerons *élément* (plutôt que *balise*) toute commande HTML et nous l'écrirons dépourvue de ses chevrons. Par exemple, plutôt que de parler de la balise `<IMG>`, nous parlerons de l'élément `IMG`.

Les en-têtes des rubriques vides, c'est-à-dire celles pour lesquelles aucun renseignement n'existe, seront omis.

<nom de l'élément>

Il est seul s'il s'agit d'un marqueur ou suivi de la balise terminale s'il s'agit d'un conteneur. Viennent ensuite éventuellement un ou plusieurs pictogrammes qui précisent d'éventuelles restrictions (voir Introduction).

Info

Les noms d'éléments HTML peuvent indifféremment s'écrire en capitales ou en bas de casse. Dans ce livre, nous avons choisi de les écrire en capitales et d'écrire les noms d'attributs en bas de casse.

Description

Rôle de l'élément.

Restriction d'utilisation

Deux sortes de restrictions seront regroupées dans cette rubrique :

- Certains éléments ne peuvent figurer qu'à l'intérieur de la section d'en-tête (`<HEAD> ... </HEAD>`). D'autres doivent être situés dans le corps du document

HTML (`<BODY> ... </BODY>`). Il peut alors exister des éléments dont la présence soit interdite à l'extérieur d'un certain élément particulier. C'est le cas, par exemple, de la commande `<TR> ... </TR>` qui doit obligatoirement être incluse dans `<TABLE> ... </TABLE>`.

- HTML 4 déconseille l'utilisation de certains éléments considérés comme périmés, soit au profit d'autres éléments plus généraux (c'est le cas, par exemple de `APPLET`, au profit de `OBJECT`), soit parce que l'emploi d'une feuille de style est alors à la fois plus pratique et plus complet.

Si cette rubrique n'existe pas, cela signifie que l'élément peut se trouver n'importe où **dans le corps** du document.

Exemple

Exemple simple d'utilisation de l'élément.

Attributs

Cette rubrique peut compter plusieurs sous-rubriques (si une sous-rubrique est vide, son titre est absent). Les unités dans lesquelles doivent être exprimés les attributs sont précisées dans la Partie II.

Usage courant

Attributs qui sont le plus généralement utilisés. La mention en gras **Obligatoire** signifie que cet attribut doit nécessairement recevoir une valeur.

Emploi déconseillé par le W3C

Dans le souci louable de favoriser l'utilisation des feuilles de style, le W3C a été amené à déconseiller l'utilisation d'un certain nombre d'attributs et en particulier de ceux qui concernent l'alignement de nombreux éléments.

Communs

HTML 4 définit trois groupes d'attributs dits *common attributs*. La traduction exacte de cette expression serait "attributs courants, ordinaires." Cependant, nous avons préféré la traduire par *attributs communs*, qui est plus près de la désignation originale et n'en dénature pas foncièrement la signification. Ces attributs peuvent apparaître dans presque tous les éléments. Ils ont reçu des noms particuliers (`%coreattrs`, `%i18n`, `%events`) dont la signification sera expliquée dans la Partie II.

Plus rarement utilisés

Attributs qui ne sont que rarement utilisés.

Spéciaux

Attributs qui ne sont utilisés que dans des cas particuliers d'application de l'élément.

Commentaires

Remarques pouvant contribuer à clarifier l'emploi de l'élément. Référence de la copie d'écran donnée en exemple.

Voir aussi

Nom d'un ou plusieurs éléments ayant un lien logique avec l'élément traité.

Liste alphabétique des éléments HTML

<!-- ... -->

Description	Commentaire. Ce qui est placé à l'intérieur ne sera pas affiché sur l'écran du navigateur.
Exemple	<!-- N'importe quel texte qui sera ignoré du navigateur -->
Commentaires	Certains navigateurs n'acceptent pas les commentaires imbriqués.

<!DOCTYPE ... >

Description	Référence à la spécification HTML utilisée dans le document.
Restriction d'utilisation	Doit obligatoirement être la première ligne du document, donc en dehors des éléments HEAD et BODY.
Exemple	<!DOCTYPE HTML PUBLIC "-//W3C //DTD HTML 4.0//EN" "http: //www.w3.org/TR/REC-html40 /frameset.dtd">
Commentaires	Cet élément est facultatif, mais certains outils de validation en ont besoin pour savoir sur quelle base effectuer leurs vérifications. Ou bien on l'omet, ou bien on le fait figurer dans son intégralité, tel qu'il figure dans l'exemple ci-dessus.

<A> ... </A>

Description	Insertion d'un appel de lien ou d'un ancrage dans une page.
Exemple	`<A HREF="http://www.multimania.com/amgr/amgr.htm">`
Attributs	**Description**
Usage courant	
href	Spécifie l'URL d'une ressource Internet, créant ainsi un lien entre elle et la présente page. **Obligatoire**.
Communs	
`%coreattrs`, `%i18n`, `%events`	
Plus rarement utilisés	
`accesskey`	Affecte une touche d'accès rapide à l'élément.
`charset`	Codification utilisée par la ressource spécifiée en `href`.
`lang`	Langue utilisée par la ressource spécifiée en `href`.
`name`	Définit une étiquette d'ancrage unique dans la page.
`onblur`	Appelle une routine quand le lien perd le focus.
`onfocus`	Appelle une routine quand le lien gagne le focus.
`rel`	Relation entre le présent document et la ressource spécifiée en `href`.
`rev`	Définit la relation de sens inverse de celle définie par `rel`.
`tabindex`	Définit un ordre d'exploration par tabulation.
`type`	Type de contenu (MIME) de la ressource référencée.
Spéciaux	
`coords`	Utilisé pour les images réactives *client side*. Définit les coordonnées de la région associée.
`shape`	Utilisé pour les images réactives *client side*. Définit la forme de la région associée.
Commentaires	Les liens sont l'essence même du Web.

<ABBR> ... </ABBR>   

Description	Signale une forme abrégée.
Exemple	`<ABBR title=" Compagnie " >Cie </ABBR>`
Attributs	**Description**
Plus rarement utilisé	
`title`	Informations sur l'élément que représente l'abréviation (généralement son développement).
Communs	
`%coreattrs, %i18n, %events`	
Commentaires	La différence avec <ACRONYM> semble purement formelle.

<ACRONYM> ... </ACRONYM>   

Description	Signale un sigle.
Restriction d'utilisation	Apparue avec HTML 4.
Exemple	`<ACRONYM title=" Centre National de la Recherche Scientifique " >` `CNRS </ACRONYM>`
Attributs	**Description**
Plus rarement utilisé	
`title`	Informations sur l'élément que représente l'abréviation (généralement son développement).
Communs	
`%coreattrs, %i18n, %events`	
Commentaires	La différence avec <ABBR> semble purement formelle.

<ADDRESS> ... </ADDRESS>

Description	Informations sur l'auteur de la page.
Exemple	`<ADDRESS>Jules Dupont  Abstracteur de quintessence   Tél : 01 23 45 67 89</ADDRESS>`
Attributs	**Description**
Communs	
`%coreattrs`, `%i18n`, `%events`	
Commentaires	Survivance des premiers âges de HTML, cette balise se borne à afficher son contenu en italique. Serait utilisée par certains moteurs de recherche.

<APPLET> ... </APPLET> 

Description	Spécification d'une applet Java.
Restriction d'utilisation	Emploi déconseillé au profit de l'élément OBJECT
Exemple	`<APPLET code="calend.class" width="250" height="30"> Calendrier perpétuel</APPLET>`
Attributs	**Description**
Usage courant	
`archive`	Liste d'URL séparées par des virgules. Ces URL pointent vers des ressources qui seront préchargées.
`code`	Nom du fichier de classe contenant la sous-classe de l'applet compilée ou chemin d'accès pointant sur la classe.
`codebase`	URL de base de l'applet.
`height`	Hauteur de la fenêtre de l'applet.
`hspace`	Espace horizontal ménagé entre la représentation visuelle de l'applet et son entourage.
`name`	Nom de cette instance de l'applet.
`object`	Ressource contenant une représentation sérialisée de l'applet.
`vspace`	Espace vertical ménagé entre la représentation visuelle de l'applet et son entourage.

`width`	Largeur de la fenêtre de l'applet.
Communs	
`%coreattrs`, `%i18n`	
Commentaires	L'un des deux attributs `code` ou `object` doit recevoir une valeur. Balise éphémère : apparue avec HTML 3.2, elle disparaît avec HTML 4 par suite d'un caractère trop restrictif (ne s'applique qu'aux applets Java). Le W3C recommande de la remplacer par l'élément `OBJECT`, plus général.
Voir aussi	`OBJECT`, `PARAM`

<AREA>

Description	Description d'une zone sensible d'image réactive.
Restriction d'utilisation	Interdite en dehors d'un élément `MAP`.
Exemple	`<AREA title="Montage" href="assembl.htm" shape="rect" coords="173, 0, 123, 50">`
Attributs	**Description**
Usage courant	
alt	Texte explicatif qui sera affiché par les navigateurs ne chargeant pas les images. Mais, dans ce cas, cet élément est inexploitable.
coords	Coordonnées de la zone. **Obligatoire.**
href	Pointe vers la ressource concernée. **Obligatoire.**
nohref	Zone non affectée ne pointant pas sur une ressource (`href` et `nohref` sont mutuellement exclusifs).
onblur	Appelle une routine quand la zone perd le focus.
onfocus	Appelle une routine quand la zone gagne le focus.
Commentaires	Non reconnue par d'anciens navigateurs (versions 2 ou plus anciennes).
Voir aussi	`MAP`

<B> ... </B>

Description	Le texte contenu dans cet élément est affiché en gras.
Exemple	`L'utilisation de cette sonnette est <B>interdite en temps normal</B>.`
Attributs	**Description**
Communs	
`%coreattrs, %i18n, %events`	

<BASE>

Description	Définit le répertoire de référence pour les URL relatives utilisées dans le document.
Restriction d'utilisation	Doit se trouver dans la section d'en-tête du document.
Exemple	`<BASE href="http://www.multimania.com/arthur/">`
Attributs	**Description**
Usage courant	
`href`	URL absolue servant de base aux références relatives qui se trouvent dans le document.
Plus rarement utilisé	
`target`	Nom du cadre dans lequel sera chargé le document.
Commentaires	Facilite le portage d'un site Web d'un serveur vers un autre.

<BASEFONT>  

Description	Définit la police de caractères qui sera utilisée pour le document.
Restriction d'utilisation	Doit se trouver dans la section d'en-tête du document.
Exemple	`<BASEFONT color=red size=5 face="comic sans ms">`

Attributs	Description
Usage courant	
`color`	Définit la couleur de la police (nom de couleur ou triplet RGB).
`face`	Définit une liste de noms de polices de caractères séparés par des virgules. C'est la première installée qui sera utilisée.
`size`	Définit la taille de la police par un chiffre compris entre 1 et 7 (3 par défaut).
Communs	
`%coreattrs, %i18n`	
Commentaires	Ignoré par Netscape Navigator. Emploi déconseillé au profit des feuilles de style.

<BDO> ... </BDO>

Description	Indique le sens d'affichage du texte (de gauche à droite — valeur par défaut — ou inversement).
Exemple	`<BDO dir=rtl>ABRACADABRA</BDO>`
Attributs	**Description**
Usage courant	
`dir`	Indique le sens d'affichage (par défaut : `ltr`).
`lang`	Langue utilisée.
Communs	
`%coreattrs`	
Commentaires	Utile pour les pages rédigées dans des langues telles que l'hébreu, à condition que le matériel et le logiciel utilisés permettent d'écrire de droite à gauche.

<BGSOUND>

Description	Accompagnement musical en bruit de fond.
Exemple	`<BGSOUND src="cleopha.mid" loop=2>`
Attributs	**Description**
Usage courant	
`loop`	Nombre de répétitions de la reproduction du fichier source audio. Une valeur de zéro signifie un bouclage sans fin. Valeur par défaut : 1.
`src`	URL d'un fichier audio (MID ou WAV) contenant les sons à reproduire. **Obligatoire.**
Commentaires	A éviter puisque non reconnu par Netscape Navigator. Tolérable sur un intranet. Il est conseillé d'utiliser des fichiers de type MIDI dont le chargement est plus rapide.
Voir aussi	`OBJECT`

<BIG> ... </BIG>

Description	Affiche le texte inclus dans une police plus grosse.
Exemple	`Il avait rédigé un <BIG>gros</BIG> mémoire.`
Attributs	**Description**
Communs	
`%coreattrs`, `%i18n`, `%events`	
Commentaires	La taille de la police varie entre les valeurs conventionnelles 1 et 7. On peut imbriquer plusieurs éléments `BIG`. (voir Figure 1.1).

<BLINK> ... </BLINK>

Description	Fait clignoter le texte inclus entre la balise initiale et la balise terminale.
Exemple	`<BLINK>Nouvelle version du 4 août 1998</BLINK>`
Commentaires	A utiliser très parcimonieusement, car généralement peu apprécié des visiteurs (fatigue oculaire).

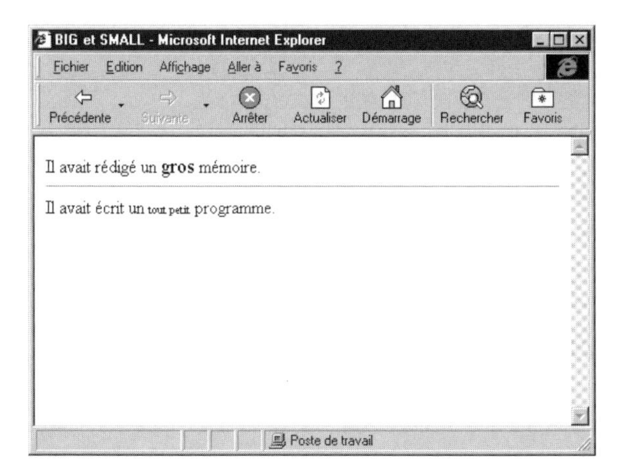

Figure 1.1 : Exemple d'utilisation de l'élément BIG.

<BLOCKQUOTE> ... </BLOCKQUOTE>

Description	Citation en retrait d'un paragraphe.
Exemple	`<BLOCKQUOTE>Du palais d'un jeune lapin Dame Belette, un beau matin, s'empara</BLOCKQUOTE>`
Attributs	**Description**
Plus rarement utilisé	
`cite`	URL pointant vers une ressource censée contenir un document informatif sur la citation.
Communs	
`%coreattrs`, `%i18n`, `%events`	
Commentaires	L'attribut `cite` n'est actuellement pas implémenté. On peut imbriquer plusieurs éléments `BLOCKQUOTE`. On réalise ainsi des rentrées d'alinéas d'importance croissante. (voir Figure 1.2).

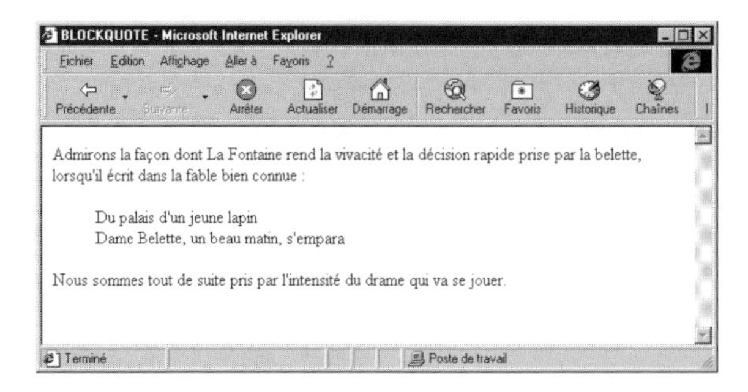

Figure 1.2 : Exemple d'utilisation de l'élément BLOCKQUOTE.

<BODY> ... </BODY>

Description	Définit le corps du document HTML qui contiendra les objets HTML qui seront affichés.
Restriction d'utilisation	Il doit y avoir un élément `BODY` et un seul dans tout document HTML, sauf si le document contient un élément `FRAMESET`.

Exemple	`<BODY>`
	`....n'importe quelle balise autorisée`
	`</BODY>`

Attributs	**Description**
Usage courant	*L'emploi de ces six attributs est déconseillé au profit des feuilles de style.*
`alink`	Couleur d'affichage des liens actifs.
`background`	URL de l'image utilisée comme fond d'écran.
`bgcolor`	Couleur de l'arrière-plan.
`link`	Couleur des liens non encore appelés.
`text`	Couleur du texte.
`vlink`	Couleur des liens visités.

Communs	
`%coreattrs`, `%i18n`, `%events`	
Commentaires	La balise qui suit `</BODY>` doit être `</HTML>` ou celle d'un commentaire.
Voir aussi	`FRAMESET`, `NOFRAMES`

Description	Force une rupture de la ligne courante. L'affichage se poursuit normalement au début de la ligne suivante.
Exemple	`... dans un cadre défini plus bas.<BR CLEAR=left>En dehors des balises servant à inclure ...`
Attributs	**Description**
Usage courant	
`clear`	Peut prendre les valeurs `left`, `right` ou `all` qui indiquent l'endroit où doit reprendre l'affichage dans le cas d'éléments flottants (`IMG`, par exemple)
Communs	
`%coreattrs`	

<BUTTON> ... </BUTTON>  

Description	Crée un bouton étiqueté dans un formulaire. En cliquant sur ce bouton, on peut déclencher une action particulière.
Restriction d'utilisation	Doit se trouver à l'intérieur d'un élément `FORM`.
Exemple	see below

```
<FORM ...>
...
<BUTTON name="bouton" value= "azerty"
type="button", onclick ="affiche()">Vas-y !
</BUTTON>
...
</FORM>
```

Attributs	Description
Usage courant	
`name`	Nom donné au bouton.
`type`	Une des trois valeurs : `submit`, `reset` ou `button`. Dans les deux premiers cas, la fonction correspond à l'envoi ou à la réinitialisation du formulaire. Dans le troisième, elle peut appeler l'exécution d'une routine d'un script.
`value`	Valeur qui sera associée à `name` au moment de l'envoi des éléments du formulaire saisis par l'utilisateur.
Communs	
`%coreattrs`, `%i18n`, `%events`	
Commentaires	Le texte à afficher sur le bouton doit être placé entre les balises. On peut aussi y faire figurer un élément `IMG`. Lorsque `type` vaut `button`, il y a nécessairement un appel de routine par un attribut de gestion d'événement intrinsèque.
Voir aussi	`FORM`

<CAPTION> ... </CAPTION>

Description	Définit le titre qui sera affiché au-dessus ou au-dessous d'un tableau (élément `TABLE`).
Restrictions d'utilisation	Doit se trouver à l'intérieur d'un élément `TABLE`.

Exemple	`<TABLE>`
	`<CAPTION>Bilan des cotisations</CAPTION>`
	`...`
	`</TABLE>`

Attributs	**Description**
Emploi déconseillé par le W3C	
`align`	Peut prendre les valeurs `top`, `bottom`, `left` ou `right`. Netscape Navigator ne reconnaît que les deux premières. De son côté, Internet Explorer reconnaît les quatre, mais n'interprète pas correctement les deux dernières.

Communs	
%coreattrs, %i18n, %events	
Commentaires	Lorsqu'il est affiché au-dessus ou au-dessous du tableau, le titre est centré (voir Figure 1.3).
Voir aussi	TABLE

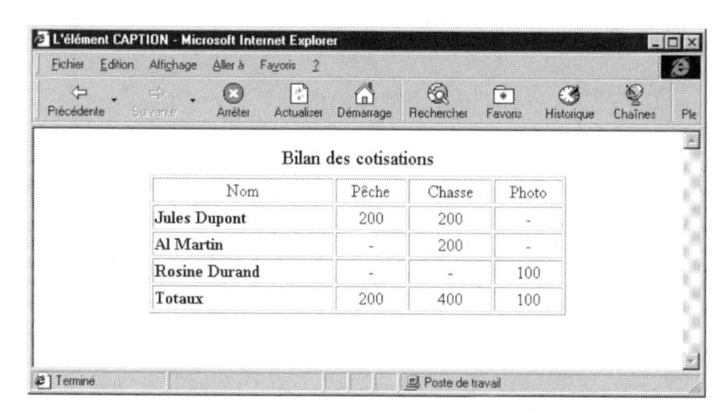

Bilan des cotisations

Nom	Pêche	Chasse	Photo
Jules Dupont	200	200	-
Al Martin	-	200	-
Rosine Durand	-	-	100
Totaux	200	400	100

Figure 1.3 : Exemple d'utilisation de l'élément CAPTION.

<CENTER> ... </CENTER>

Description	Centrage des objets HTML placés entre les balises initiale et terminale.
Exemple	`<CENTER>Mon bateau : <IMG SRC="boat.gif" align="middle"></CENTER>`
Attributs	**Description**
Commentaires	A remplacer par une règle de style mettant en œuvre la propriété `text-align`.
Voir aussi	DIV

<CITE> ... </CITE>

Description	Citation directe ou par référence à une autre source.
Exemple	`<CITE>L'oeil était dans la tombe et regardait Caïn</CITE>`

Attributs	Description
Plus rarement utilisé	
title	Informations sur le contenu de l'élément.
Communs	
%coreattrs, %i18n, %events	
Commentaires	Interprété comme une mise en italique par Netscape Navigator et Internet Explorer.

<CODE> ... </CODE>

Description	Exemple de code (instructions d'un programme).
Exemple	`<CODE>CLA machin STO truc TIX</CODE>`
Attributs	**Description**
Communs	
%coreattrs, %i18n, %events	
Commentaires	Le texte placé entre les balises initiale et terminale est affiché comme s'il était placé dans un élément PRE.

<COL>  

Description	Définition d'un formatage commun à tout ou partie des colonnes d'un même tableau.
Restriction d'utilisation	Interdit en dehors d'un élément TABLE.
Exemple	`<COL width=35 valign="top">`
Attributs	**Description**
Usage courant	
align	Alignement horizontal (en largeur) des colonnes.
char	Caractère d'alignement vertical.
charoff	Décalage horizontal de l'alignement.
span	Nombre de colonnes à regrouper.
valign	Alignement vertical (en hauteur) des colonnes.
width	Largeur par défaut de chaque colonne.

Communs

`%coreattrs`, `%i18n`, `%events`

Commentaires	Cet élément était à l'origine une extension Microsoft qui a été approuvée par le W3C. Mais les attributs `char` et `charoff` ne sont toujours pas reconnus par Internet Explorer. Voir le listing ci-dessous et la Figure 1.4 pour un exemple plus complet.
Voir aussi	`COLGROUP`, `TABLE`

```
<TABLE border=1>
<!-- col. 1 --><COL width=50>
<!-- col. 2 --><COL width=100>
<!-- col. 3 --><COL width=35 valign="top">
<!-- col. 4 --><COL width=120 align="center" valign="bottom">
<!-- col. 5 --><COL>
<!-- col. 6 --><COL width=40 align="right" valign="middle">
<!-- col. 7 --><COL width=80 align="char" valign="middle"
char=".">

<TR><TD>1<TD>C'était pendant l'horreur d'une profonde nuit<TD>
3<TD>4<TD>5<TD>6<TD>3.14
<TR>
<TD>1<TD>2<TD>3<TD>4<TD>5<TD>C'était pendant l'horreur d'une
profonde nuit<TD>-1234.5
<TR>
<TD>1<TD>2<TD>3<TD>C'était pendant l'horreur d'une profonde
nuit<TD>5<TD>6<TD>.00007
</TABLE>
```

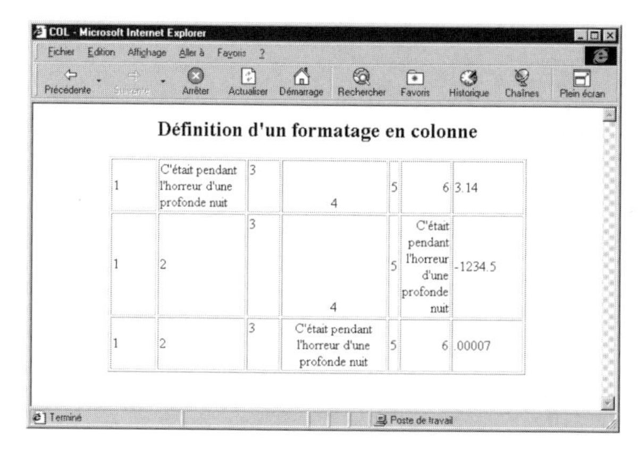

Figure 1.4 : Exemple d'utilisation de l'élément COL.

<COLGROUP>  

Description	Création d'un groupe explicite de colonnes dont le nombre peut être spécifié soit par l'attribut `span`, soit par chaque élément `COL` qui le suit.
Restriction d'utilisation	Interdit en dehors d'un élément `TABLE`.
Exemple	`<COLGROUP span=3 align="center" width=75>`
Attributs	**Description**
Usage courant	
`span`	Nombre de colonnes à regrouper.
`width`	Largeur par défaut de chaque colonne.
Communs	
`%coreattrs, %i18n, %events`	

Commentaires

Cet élément était à l'origine une extension Microsoft qui a été approuvée par le W3C.

L'exemple ci-dessous illustre une application simple de cet élément pour un tableau à cinq colonnes dont la Figure 1.5 montre la présentation :

```
<TABLE border=1>
<COL width=30>
<COLGROUP span=3 align="center" width=75>
<COLGROUP>
<COL width=100 align="right">
<TR>
<TD>1</TD>
<TD>2</TD>
<TD>3</TD>
<TD>4</TD>
<TD>5</TD>
</TR>
<TR>
<TD>A</TD>
<TD>B</TD>
<TD>C</TD>
<TD>D</TD>
<TD>E</TD>
</TR>
</TABLE>
```

La première colonne reçoit 30 pixels et son contenu sera aligné par défaut à gauche. Les trois colonnes suivantes recevront chacune 75 pixels et leur contenu sera centré. L'élément `COLGROUP` suivant n'a aucun attribut. Il sert seulement à dissocier l'élément `COL` suivant du `COLGROUP` précédent. La colonne 5 recevra donc 100 pixels et son contenu sera aligné à droite.

On aurait obtenu exactement le même effet en regroupant ces deux derniers éléments sous la forme :

```
<COLGROUP width=100 align="right">
```

`COLGROUP` est ignoré de Netscape Navigator et incomplètement implanté par Internet Explorer.

Voir aussi `TABLE`, `width`

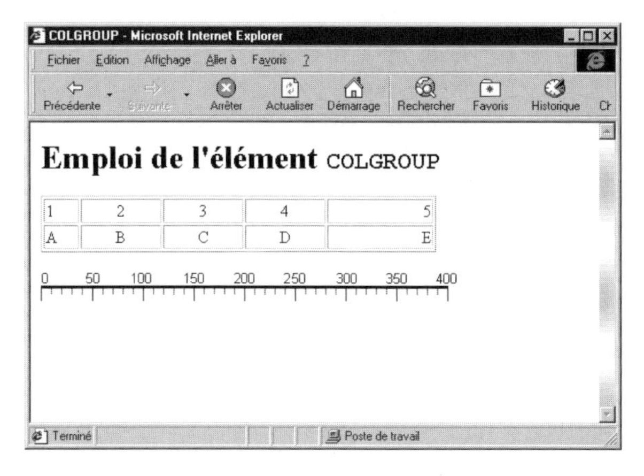

Figure 1.5 : Exemple d'utilisation de l'élément COLGROUP.

<DD>

Description	Définition d'un terme dans une liste de glossaire (dite aussi *liste de définitions*).
Restriction d'utilisation	Interdit en dehors d'un élément `DL`.
Exemple	voir ci-dessous

```
<DL>
<DT>Musique
<DD>Art d'assembler les sons d'une manière
agréable à l'oreille
</DL>
```

Attributs	Description
Communs	
%coreattrs, %i18n, %events	
Commentaires	On utilise parfois (illégalement) DD pour afficher un paragraphe avec un retrait de première ligne comme le montre l'exemple ci-dessous illustré par la Figure 1.6 : `<DD>La comtesse, résolue à n'ouvrir plus les lèvres, à ne plus changer d'attitude, ni même d'expression avant complet épuisement du secret, écoutait imperturbablement le faux prêtre dont peu à peu l'assurance s'affermissait.`
Voir aussi	DL, DT

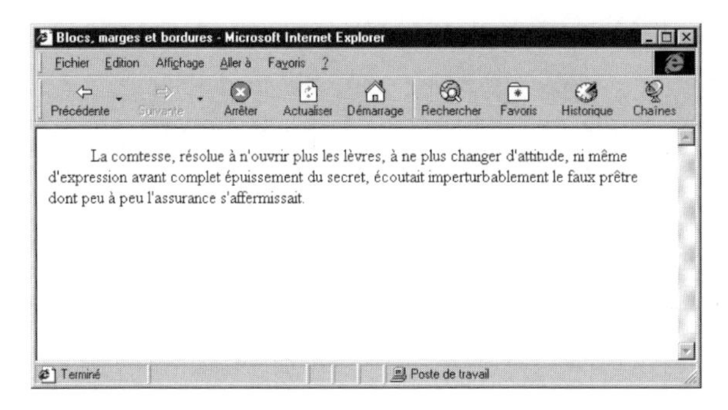

Figure 1.6 : Exemple d'utilisation illégale de l'élément DD.

<DEL> ...</DEL>

Description	Sert à marquer les sections d'un document HTML qui ont été supprimées.

Exemple	`<DEL cite="http://www.msrv.fr/supp/text23.htm">`
	`bla... bla... bla`
	`</DEL>`

Attributs	Description
Communs	
%coreattrs, %i18n, %events	

Plus rarement utilisés	
`cite`	URL pointant sur un document expliquant les raisons de la suppression.
`datetime`	Date et heure de la suppression.
Commentaires	Internet Explorer barre le texte placé entre les balises extrêmes comme si on avait fait usage de l'élément `S`. Netscape Navigator ignore complètement les balises et affiche ce qu'elles contiennent en continuité avec le texte qui les encadre.
Voir aussi	`INS`

<DFN> ... <DFN>

Description	Instance de définition du terme placé entre les balises initiale et terminale.
Exemple	`Nous allons définir la musique :` `<DFN>La musique est l'art d'assembler les sons d'une manière agréable à l'oreille.</DFN>`
Attributs	**Description**
Communs	
`%coreattrs`, `%i18n`, `%events`	
Commentaires	Internet Explorer affiche en italique le texte placé entre les balises.

<DIR> ... </DIR>

Description	Etait prévu pour présenter des listes de répertoires sur plusieurs colonnes.

Exemple	`Le répertoire ARTHUR comporte les sous-répertoires suivants :`
	`<DIR>`
	`<LI>Livres`
	`<LI>Photos`
	`<LI>Disques`
	`</DIR>`
	`<HR>`

Attributs	Description
Usage courant	
`type`	Type de puce utilisée. Valeurs possibles : `circle`, `disc`, `square`.
Plus rarement utilisé	
`compact`	Affichage avec une police de caractères plus resserrée.
Communs	
`%coreattrs`, `%i18n`, `%events`	
Commentaires	Netscape Navigator et Internet Explorer traitent `DIR` comme `UL`.
Voir aussi	`MENU`, `OL`, `UL`.

<DIV> ... </DIV>

Description	Regroupement d'objets HTML, le plus souvent en vue d'une mise en forme particulière commune spécialement avec les feuilles de style en conjonction avec les attributs `id` et `class` ou avec l'attribut `style` pour appliquer une mise en forme particulière.
Exemple	`<DIV STYLE="font-style:italic; color:blue"> "Vous avez bien sujet d'accuser la nature."</DIV>`
Attributs	**Description**
Emploi déconseillé par le W3C	
`align`	Admet les valeurs `left`, `center`, `right` et `justify` (à gauche, au centre, à droite et justifier). Le W3C conseille d'utiliser la propriété `text-align` des feuilles de style.
Communs	
`%coreattrs`, `%i18n`, `%events`	
Commentaires	L'élément `DIV` joue le rôle contraire de celui de l'élément `SPAN`. On peut imbriquer plusieurs éléments `DIV`. Généralement les propriétés de style se transmettent du plus extérieur vers les plus intérieurs. Le code HTML ci-dessous montre une application de `DIV` illustrée par la Figure 1.7.

Voir aussi	SPAN, STYLE, CENTER

```
<DIV STYLE="{font-weight:400; font-size:16pt}">
  Le <SPAN STYLE="font-size:x-large">chêne</SPAN>, un jour, dit au
  <SPAN STYLE="{font-size:x-small}">roseau</SPAN> :
  <BR>
    <DIV STYLE="font-style:italic; color:blue">"Vous avez bien
    sujet d'accuser la nature."</DIV>
  </DIV>
</DIV>
```

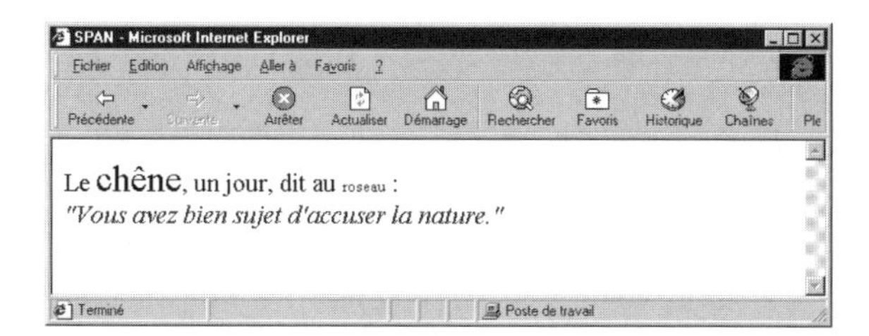

Figure 1.7 : Exemple d'utilisation de l'élément DIV.

<DL> ... </DL>

Description	Définition d'une liste de glossaire (dite aussi *liste de définitions*).

Exemple	`<DL>`
	`<DT>Musique`
	`<DD>Art d'assembler les sons d'une manière agréable à l'oreille`
	`</DL>`

Attributs	**Description**
Communs	
%coreattrs, %i18n, %events	
Commentaires	A l'intérieur de cet élément, on trouve des paires [terme, définition] respectivement placées dans les éléments DT et DD.
Voir aussi	DD, DT

<DT>

Description	Terme à définir dans une liste de glossaire (dite aussi *liste de définitions*).
Restriction d'utilisation	Interdit en dehors d'un élément DL.

Exemple	`<DL>`
	`<DT>Musique`
	`<DD>Art d'assembler les sons d'une manière agréable à l'oreille`
	`</DL>`

Attributs	**Description**
Communs	
%coreattrs, %i18n, %events	
Commentaires	Contrairement à DD, cet élément ne joue aucun rôle particulier si on l'utilise en dehors de DL.
Voir aussi	DD, DL

<EMBED> 

Description	Inclusion d'un objet multimédia (fichiers MOV ou AVI).
Exemple	`<EMBED src="exitc.mov" width=350 height=130 align=middle>`
Attributs	**Description**
Usage courant	
align	Alignement par rapport au texte environnant. Valeurs acceptées : left, right, center, middle, top.
height	Hauteur de la fenêtre d'insertion.
loop	loop=true entraîne la répétition en boucle de l'animation.
src	URL du fichier source. **Obligatoire.**
width	Largeur de la fenêtre d'insertion.

Commentaires	Bien que d'origine Netscape, cette extension est reconnue par Internet Explorer. Si les dimensions de la fenêtre d'insertion ne sont pas homologues à celles de l'écran de visualisation, la fenêtre est complétée par des bandes neutres horizontalement ou verticalement.
Voir aussi	OBJECT

<FIELDSET> ... </FIELDSET>

Description	Regroupement d'informations dans des cadres pour faciliter la lecture des formulaires. S'emploie généralement en conjonction avec LEGEND.
Restriction d'utilisation	Interdit en dehors d'un élément FORM.

Exemple

```
<FIELDSET>
<LEGEND>Goûts littéraires</LEGEND>
<INPUT name="litt" type= "checkbox"
value="roman"> Roman<BR>
<INPUT name="litt" type= "checkbox"
value="essais"> Essais<BR>
<INPUT name="litt" type= "checkbox"
value="histoire"> Histoire<BR>
<INPUT name="litt" type= "checkbox"
value="poesie"> Poésie
</FIELDSET>
```

Attributs	Description
Communs	
%coreattrs, %i18n, %events	

Commentaires	La Figure 1.8 montre un exemple d'utilisation de cet élément.
Voir aussi	LEGEND

Figure 1.8 : Exemple d'utilisation de l'élément FIELDSET.

<FONT> ... </FONT> 

Description	Spécifie la police de caractères à utiliser pour l'affichage du texte placé entre la balise initiale et la balise terminale.
Exemple	`L'emploi de la balise <FONT size=4 color="red" face="helvetique, logan, comic sans ms"> F O N T </FONT>est à éviter.`
Attributs	**Description**
Usage courant	
`color`	Couleur d'affichage du texte.
`face`	Liste de noms de polices de caractères séparés par des virgules.
`size`	Taille de la police exprimée de façon absolue par un nombre compris entre 1 et 7 ou de façon relative à la taille de la police courante par un incrément signé (positif ou négatif). Le résultat doit alors être compris entre 1 et 7.

Communs	
%coreattrs, %i18n	
Commentaires	Le W3C recommande d'utiliser de préférence les propriétés color, font-family et font-size des feuilles de style.

<FORM> ... </FORM>

Description	Réalisation d'un formulaire interactif permettant de transmettre au serveur ou au titulaire d'un compte e-mail des informations saisies par le visiteur.

Exemple	`<FORM action="http://www.msrvr.fr /cgi-bin/data.cgi" method ="put">`
	`... `*`éléments spécifiques de formulaire`*
	`...`
	`</FORM>`

Attributs	**Description**
Usage courant	
action	URL du programme de traitement du formulaire ou adresse e-mail d'envoi des saisies. **Obligatoire.**
method	Méthode de présentation des valeurs saisies : put ou get (valeur par défaut).
Communs	
%coreattrs, %i18n, %events	
Plus rarement utilisés	
accept	Liste de types MIME que devra interpréter le serveur vers lequel sera envoyé un fichier.
accept-charset	Liste de codifications de caractères devant être acceptées par le serveur qui traitera les saisies.
enctype	Type MIME de contenu envoyé au serveur. Valeur par défaut : application/x-www-form-urlencoded.
onreset	Adresse d'une routine de script qui recevra le contrôle si le visiteur clique sur le bouton reset.
onsubmit	Adresse d'une routine de script qui recevra le contrôle si le visiteur clique sur le bouton submit.

Commentaires	C'est le seul élément de HTML 4 permettant à l'utilisateur d'envoyer des informations au serveur.
Voir aussi	BUTTON, FIELDSET, INPUT, LABEL, LEGEND, OPTION, OPTGROUP, SELECT, TEXTAREA

<FRAME> ... </FRAME> 4 HTML

Description	Définition d'un cadre particulier d'une structure de cadres.
Restriction d'utilisation	Interdit en dehors d'un élément FRAMESET.

Exemple	`<FRAMESET cols="250, 200,*">`
	`<FRAMESET rows="*,250">`
	`<FRAME src="frame1.htm">`
	`<FRAME src="frame2.gif">`
	`</FRAMESET>`
	`<FRAME src="frame3.htm">`
	`<FRAME src="frame4.htm">`
	`</FRAMESET>`

Attributs	**Description**
Usage courant	
name	Nom qui sera utilisé pour référencer le cadre. **Obligatoire.**
noresize	Si cet attribut est spécifié, le visiteur ne pourra pas modifier les dimensions du cadre.
scrolling	Contrôle le défilement du contenu dans le cadre (valeurs autorisées : yes, no, auto).
src	URL du fichier source à charger dans le cadre. **Obligatoire.**
Communs	
%coreattrs	A l'exception (non signalée) de l'attribut title.
Plus rarement utilisés	
frameborder	Indique si une bordure sera tracée entre ce cadre et le ou les cadres adjacents. Valeurs possibles : 1 (bordure présente, valeur par défaut) ou 0 (pas de bordure).

longdesc	URL pointant vers une longue description du rôle du cadre.
marginheight	Hauteur de la marge à ménager entre le contenu et les bords horizontaux du cadre.
marginwidth	Largeur de la marge à ménager entre le contenu et les bords verticaux du cadre.
Commentaires	Les anciens navigateurs ne supportent pas tous les structures de cadres.
Voir aussi	FRAMESET, NOFRAMES

<FRAMESET> ... </FRAMESET> 

Description	Définition d'une structure de cadres.
Restriction d'utilisation	Les éléments FRAMESET et BODY sont mutuellement exclusifs dans un même document HTML sauf si ce document contient un élément NOFRAMES à l'intérieur duquel BODY est licite.

Exemple	`<FRAMESET cols="250, 200,*">`
	`<FRAMESET rows="*,250">`
	`<FRAME src="frame1.htm">`
	`<FRAME src="frame2.gif">`
	`</FRAMESET>`
	`<FRAME src="frame3.htm">`
	`<FRAME src="frame4.htm">`
	`</FRAMESET>`

Attributs	**Description**
Usage courant	
cols	Découpage vertical de la structure de cadres. Trois valeurs possibles : un nombre de pixels, un pourcentage de la largeur de la fenêtre ou "*" qui signifie "ce qui reste".
rows	Découpage horizontal de la structure de cadres. Trois valeurs possibles : un nombre de pixels, un pourcentage de la hauteur de la fenêtre ou "*" qui signifie "ce qui reste".
Communs	
%coreattrs	A l'exception de l'attribut title.

Plus rarement utilisés	
`onload`	Adresse de la routine de script qui sera appelée au moment où la structure sera chargée.
`onunload`	Adresse de la routine de script qui sera appelée lorsque le contenu de la structure sera remplacé par autre chose.
Commentaires	Les anciens navigateurs ne supportent pas tous les structures de cadres. Le groupe FRAME, FRAMESET et NOFRAMES existait du temps de HTML 3.2. HTML 4 n'a fait que l'officialiser. La Figure 1.9 montre un exemple d'utilisation de cadres.
Voir aussi	`FRAME, NOFRAMES`

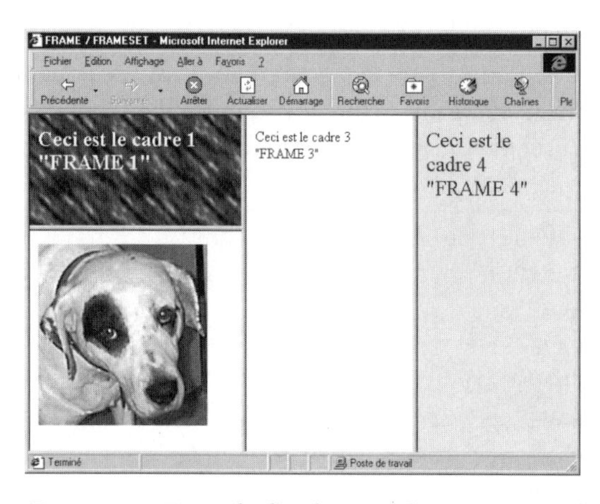

Figure 1.9 : Exemple d'utilisation d'une structure de cadres.

<H1> ... </H1> à <H6> ... </H6>

Description	Définition d'un titre ou d'un sous-titre (6 niveaux d'importance décroissante de 1 à 6).

Exemple	`<H1>Le moteur à explosions</H1>`
	`<H2>Le cylindre</H2>`
	`... texte ...`
	`<H2>La culasse</H2>`
	`<H3>Les soupapes</H3>`
	`...texte...`

Attributs	Description
Communs	
%coreattrs, %i18n, %events	
Commentaires	Dans la pratique, on ne descend guère au-dessous du niveau 4. La Figure 1.10 présente un exemple de titres et de sous-titres de niveaux variés

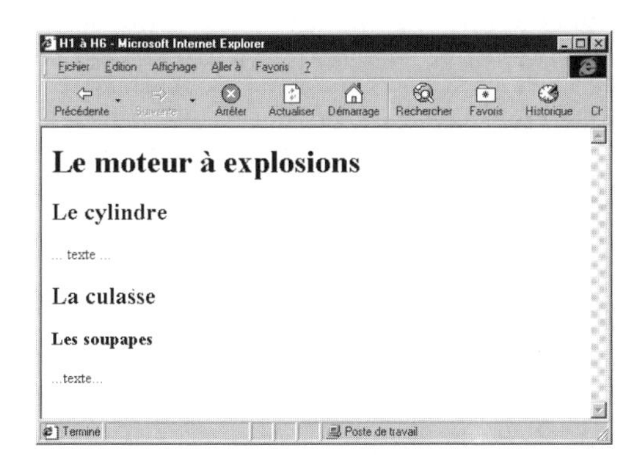

Figure 1.10 : Exemple d'utilisation de différents niveaux de titres et de sous-titres.

<HEAD> ... </HEAD>

Description	Définit la section d'en-tête d'un document HTML.
Restriction d'utilisation	Il doit y avoir un élément HEAD et un seul dans tout document HTML.

Exemple	`<HEAD>`
	`<TITLE>Le cycle à 4 temps de Beau de Rochas</`
	`TITLE>`
	`</HEAD>`

Attributs	**Description**
Communs	
%i18n	
Plus rarement utilisé	
profile	URL pointant vers un ou plusieurs profils de méta informations (éléments META utilisés principalement par les moteurs de recherche).
Commentaires	Ne contient le plus souvent qu'un élément TITLE.

<HR>

Description	Insertion d'un trait horizontal (filet), jouant le rôle de séparateur, de longueur et d'épaisseur variables.
Exemple	`<HR>`
Attributs	**Description**
Emploi déconseillé par le W3C	
`align`	Positionnement horizontal du trait. Valeurs possibles : `left`, `center`, `right`. Valeur par défaut : `left`.
`noshade`	Supprime l'ombrage du filet.
`size`	Epaisseur de la barre. Valeur par défaut non précisée.
`width`	Largeur de la barre. Valeur par défaut 100 % (toute la largeur de la fenêtre).
Communs	
`%coreattrs`, `%i18n`, `%events`	
Commentaires	Les quatre attributs déconseillés peuvent être respectivement remplacés par les propriétés des feuilles de style : `text-align`, `color:grey`, `height` et `width`.

<HTML> ... </HTML>

Description	Renferme la totalité d'un document HTML à l'exception d'une éventuelle déclaration `<!DOCTYPE` qui doit toujours être la première ligne d'un document HTML, lorsqu'elle existe.
Restriction d'utilisation	Il doit y avoir un et un seul élément HTML par document HTML.

Exemple	`<HTML>`
	`<HEAD>`
	`section d'en-tête`
	`</HEAD>`
	`<BODY>`
	`corps du document`
	`</BODY>`
	`</HTML>`

Attributs	Description
Usage courant	
`version`	Précise la version de la DTD à laquelle se réfère le document. Remplacé par `<!DOCTYPE...`
Communs	
`%i18n`	
Commentaires	En toute rigueur, la balise terminale est inutile et l'expérience montre que la balise initiale l'est aussi !

<I> ... </I>

Description	Mise en italique du texte contenu entre les balises initiale et terminale.
Exemple	`C'est la canne qui va la première, boitant des deux pattes, barboter au trou qu'elle connaît.` ` <I>Jules Renard — Histoires naturelles</I>`
Attributs	**Description**
Communs	
`%coreattrs, %i18n, %events`	

<IFRAME> ... </IFRAME>  

Description	Insertion dans une page d'un cadre contenant un autre document HTML.
Exemple	`<IFRAME src="vespa.htm" width= "300" height="300" scrolling= "auto" frameborder="1" align= middle>` ` <FONT SIZE="+1">--- Votre navigateur ne reconnaît pas la balise <IFRAME> ---</FONT>  ` `</IFRAME>`
Attributs	**Description**
Usage courant	
`frameborder`	Si cet attribut vaut 1, le cadre sera dessiné. S'il vaut 0, il n'y aura pas de cadre.

height	Hauteur du cadre.
marginheight	Hauteur de l'espace laissé libre entre les bords horizontaux du cadre et son contenu.
marginwidth	Hauteur de l'espace laissé libre entre les bords verticaux du cadre et son contenu.
name	Nom donné au cadre (en vue d'une désignation par un attribut target).
scrolling	Contrôle le défilement du contenu dans le cadre (valeurs autorisées : yes, no, auto).
src	URL du fichier source à insérer dans le cadre. **Obligatoire.**
width	Largeur du cadre.
Communs	
%i18n	
Emploi déconseillé par le W3C	
align	Précise l'alignement horizontal du cadre par rapport à la fenêtre du navigateur. Admet les valeurs left, center, right (à gauche, au centre et à droite). Emploi déconseillé par le W3C.
Plus rarement utilisé	
longdesc	URL pointant vers une longue description du rôle du cadre.
Commentaires	Par suite d'un bogue, Internet Explorer (qui est seul à reconnaître IFRAME) n'accepte pas la règle de style locale <IFRAME style="text-align:..."...>. Pour s'en affranchir, il suffit de placer IFRAME dans un élément DIV de cette façon : <DIV style="text-align:..."> <IFRAME ...> ... </IFRAME> </DIV> La Figure 1.11 montre l'utilisation pratique de cet élément.
Voir aussi	FRAME

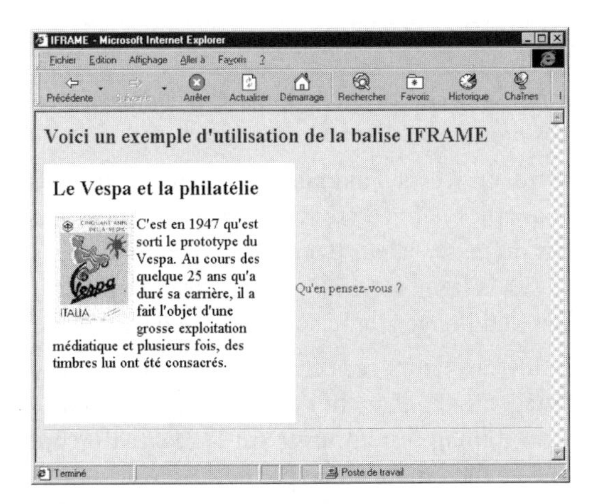

Figure 1.11 : Exemple d'utilisation de l'élément IFRAME.

<IMG>

Description	Insertion d'une image dans un document HTML.
Exemple	`<IMG src="images/vistem.gif" align="top" alt="Vistemboire du XVIe siècle">`
Attributs	**Description**
Usage courant	
`alt`	Texte de remplacement pour les navigateurs n'affichant pas les images.
`border`	Indique l'épaisseur de la bordure à tracer autour de l'image. Si cet attribut a la valeur zéro, la bordure n'est jamais tracée, même si l'image est un appel de lien. Quant à la couleur de la bordure, deux cas sont à considérer : 1. L'image est un appel de lien. Alors, la bordure sera de la couleur affectée aux appels de liens (le bleu, par défaut). 2. L'image est une image ordinaire. Alors, elle sera de la couleur définie pour le texte (le noir, par défaut). Si cet attribut est omis, la bordure n'est pas tracée.
`height`	Hauteur de l'image.
`src`	URL du fichier de l'image. **Obligatoire.**
`width`	Largeur de l'image.

Emploi deconseillé par le W3C	
`align`	Définit la mise en place de l'image par rapport au texte environnant. En ce qui concerne l'alignement vertical, trois valeurs sont possibles : `bottom` (bas de l'image aligné sur la ligne de base du texte, valeur par défaut), `top` (haut de l'image aligné sur la ligne supérieure du texte) et `middle` (milieu de l'image aligné sur la ligne de base du texte). Deux autres valeurs concernent la position horizontale de l'image : `left` (gauche) et `right` (droite). Dans les deux cas, l'image est appuyée sur la marge du côté désigné et elle est entourée par le texte voisin, s'il existe.
`hspace`	Spécifie la largeur de l'espace à ménager entre les bords verticaux de l'image et ce qui l'entoure. Emploi déconseillé par le W3C.
`vspace`	Spécifie la hauteur de l'espace à ménager entre les bords horizontaux de l'image et ce qui l'entoure. Emploi déconseillé par le W3C.
Communs	
`%coreattrs`, `%i18n`, `%events`	
Plus rarement utilisé	
`longdesc`	URL pointant vers une longue description de l'image.
Spéciaux	
`ismap`	Indique que l'image est une image réactive du type *server side*.
`usemap`	Indique que l'image est une image réactive du type *client side*.
Commentaires	Si `HEIGHT` et `WIDTH` sont tous deux spécifiés et que leurs valeurs ne correspondent pas à un même multiple (ou sous-multiple) des dimensions réelles de l'image, il se produira une anamorphose, l'image étant déformée dans un sens ou dans l'autre. Le W3C déconseille l'emploi de l'attribut `align`, au profit des feuilles de style.
Voir aussi	`OBJECT`

<INPUT>

Description	Création d'un contrôle dans un formulaire.
Restriction d'utilisation	Utilisation interdite en dehors de l'élément `FORM`.
Exemple	`<FORM action="http://osrvr.fr/prog/spec" method="post">` `Prénom : <INPUT type="text" name ="nom"> ` `<INPUT type="radio" name="sexe" value="Female"> Femme` `<INPUT type="radio" name="sexe" value="Male" checked> Homme ` `<INPUT type="submit" value="OK"> <INPUT type="reset">` `</FORM>`
Attributs	**Description**
Usage courant	
`alt`	Texte de remplacement pour les navigateurs n'affichant pas les images.
`checked`	Mot clé utilisé par les éléments pour lesquels l'attribut `type` vaut `radio` ou `check`. Signifie que le contrôle correspondant est initialisé à l'état actif.
`maxlength`	Nombre de caractères maximal pour les zones d'entrée de type texte. N'a de sens que lorsque `type` vaut `text` ou `password`.
`name`	Nom donné au contrôle. Transmis en même temps que la valeur saisie par l'utilisateur (`value`) pour identifier celle-ci. **Obligatoire.**
`size`	Signification dépendant de la valeur de l'attribut `type`.
`type`	L'un des types suivants : `text`, `password`, `checkbox`, `radio`, `submit`, `reset`, `file`, `hidden`, `image`, `button`. **Obligatoire.**
`value`	Valeur initiale du contrôle (sauf si l'attribut `type` vaut `radio`) pouvant, dans certains cas, être modifiée par une saisie de l'utilisateur, et qui sera transmise, repérée par le nom indiqué par l'attribut `name`.

Communs	
Sous-ensemble de %events	onblur, onchange, onfocus, onselect
Plus rarement utilisés	
accept	Liste des types MIME que devra interpréter le serveur auquel seront envoyées les saisies.
accesskey	Affecte une touche d'accès rapide à l'élément.
disabled	Attribut booléen signifiant que le contrôle n'est pas disponible dans ce contexte.
src	URL d'une image pour les champs acceptant cet attribut.
tabindex	Définit un ordre d'exploration par tabulation.
Spéciaux	
usemap	URL de l'image réactive à laquelle cet élément est associé.
Commentaires	La complexité de cet élément a justifié une description particulière dans la Partie 2 du livre consacrée aux attributs, à l'article type.
Voir aussi	FORM

<INS> ...</INS>

Description	Sert à marquer les sections d'un document HTML qui ont été nouvellement insérées.
Exemple	<INS cite="http://www.msrv.fr/supp/text23.htm"> bla... bla... bla</INS>
Attributs	**Description**
Communs	
%coreattrs, %i18n, %events	
Plus rarement utilisés	
cite	URL pointant sur un document expliquant les raisons de l'insertion.
datetime	Date et heure de l'insertion.
Voir aussi	DEL

<ISINDEX> 

Description	Etait utilisé pour inviter l'utilisateur à saisir un mot clé destiné à faire une recherche dans une base de données.
Exemple	`<ISINDEX prompt="Argument de recherche : ">`
Attributs	**Description**
Usage courant	
`prompt`	Texte de l'invite à afficher.
Commentaires	Le W3C recommande de remplacer cet élément par un élément `INPUT` placé dans un formulaire.

<KBD> ... </KBD>

Description	Signale le texte que doit saisir l'utilisateur.
Exemple	`Pour afficher tous les fichiers image, tapez <KBD> DIR *.PCX</KBD> ou <KBD>DIR *.JPG</KBD>.`
Attributs	**Description**
Plus rarement utilisé	
`title`	Informations sur le contenu de l'élément.
Communs	
`%coreattrs, %i18n, %events`	
Commentaires	Le texte est affiché avec une police à pas fixe.

<LABEL> 4 HTML

Description	Permet d'attacher des informations à un contrôle et à un seul faisant partie d'un formulaire.
Restriction d'utilisation	Interdit en dehors d'un élément `FORM`.
Exemple	`<TD><LABEL for="truc">First Name</LABEL>` `<TD><INPUT type="text" name="nom" id="truc ">`

Attributs	Description
Usage courant	
`for`	Référencement d'un contrôle.
Communs	
`%coreattrs, %i18n, %events`	

<LEGEND> ... </LEGEND>  

Description	Permet d'afficher un titre pour un élément `FIELDSET`.
Restriction d'utilisation	Interdit en dehors d'un élément `FORM`.
Exemple	`<FIELDSET>` `<LEGEND>Goûts littéraires</LEGEND>` `<INPUT name="litt" type="checkbox" value="roman"> Roman ` `<INPUT name="litt" type="checkbox" value="essais"> Essais ` `<INPUT name="litt" type="checkbox" value="histoire"> Histoire ` `<INPUT name="litt" type="checkbox" value="poesie"> Poësie` `</FIELDSET>`
Attributs	**Description**
Emploi déconseillé par le W3C	
`align`	Peut prendre les valeurs `top`, `bottom`, `left`, `right`. Ne semble pas produire l'effet prévu.
Communs	
`%coreattrs, %i18n, %events`	
Commentaires	A n'utiliser que pour les formulaires qui comprennent de très nombreuses rubriques concernant des sujets bien différenciés.
Voir aussi	`FIELDSET`

<LI>

Description	Annonce un article dans une liste numérotée ou à puces.

Exemple	`<H4>Animaux étranges</H4>`
	`<UL>`
	`<LI>Hippocampe`
	`<LI>Ornithorynque`
	`<LI>Eléphant de mer`
	`</UL>`

Attributs	**Description**
Usage courant	
`type`	Précise le type de puce ou de numérotation des articles de la liste.
`value`	Précise la valeur courante de l'article dans une liste numérotée. La numérotation des éléments suivants se poursuivra à partir de cette valeur pour ceux qui ne comprennent pas cet attribut.
Emploi déconseillé par le W3C	
`compact`	Le texte de l'article est affiché à l'aide d'une police plus étroite. N'a généralement pas été implémenté par les navigateurs.
Communs	
`%coreattrs`, `%i18n`, `%events`	
Commentaires	La Figure 1.12 présente un exemple d'utilisation de cet élément.
Voir aussi	`DIR`, `MENU`, `OL`, `UL`

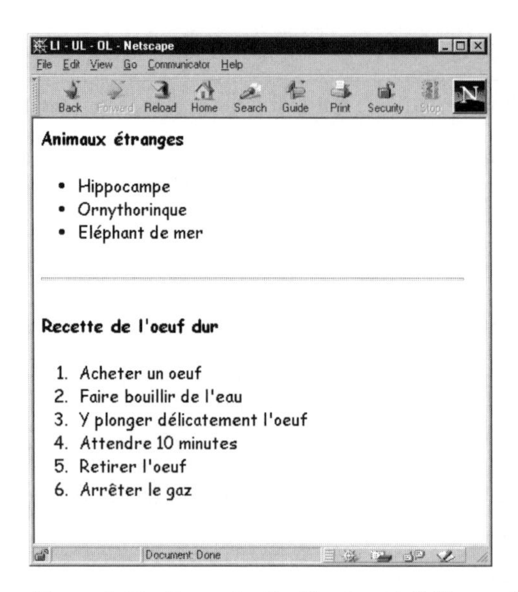

Figure 1.12 : Exemple d'utilisation de l'élément LI.

<LINK>

Description	Sert à décrire des relations d'ordre entre les documents d'une présentation Web.
Restriction d'utilisation	Interdit en dehors de la section d'en-tête du document.

Exemple	`<HEAD>`
	`<LINK rel="Index" href="../index.htm">`
	`<LINK rel="Suivant"  href="chapi3.htm">`
	`<LINK rel="Précédent"  href="chapi1.htm">`
	`</HEAD>`

Attributs	**Description**
Usage courant	
`href`	URL de la ressource à laquelle il est fait référence. **Obligatoire.**
`rel`	Type de lien vers l'avant (du document suivant).
`rev`	Type de lien vers l'arrière (du document précédent).

`type`	Type du contenu du document référencé pris dans une liste de mots clés : `alternate`, `stylesheet`, `start`, `next`, etc.
Plus rarement utilisés	
`charset`	Codification utilisée par la ressource spécifiée en `href`.
`hreflang`	Langage de base de la ressource spécifiée par `href`. Ne doit figurer dans l'élément que si `href` y figure aussi.
`media`	Indique le type de support (écran, imprimante, carte de synthèse audio...) utilisé comme destination. Valeur par défaut : `screen`.
Communs	
`%coreattrs`, `%i18n`, `%events`	
Commentaires	Les attributs `rel` et `rev` sont mutuellement exclusifs. L'un des deux est obligatoire.
	Cet élément est surtout utilisé par des outils de gestion de sites Web, les navigateurs usuels se contentant de l'ignorer purement et simplement. Il est surtout généré pas des éditeurs HTML de haut niveau.

<MAP>

Description	Spécifie la table descriptive des zones sensibles d'une image utilisée en guise d'image réactive.
Exemple	(voir code ci-dessous)

```
<IMG src="topo.gif" usemap="#plan>
...
<MAP name="plan">
<AREA href="guide.htm" shape= "rect"
coords="0,0,100,20" alt ="Organisation du
magasin" ¦
<AREA href="livres.htm" shape= "rect"
coords="101,10,200,35" alt="Littérature"
<AREA href="disques.htm" shape= "circle"
coords="300,100,70" alt="Musique"
<AREA href="journal.htm" shape ="poly"
coords="276,0,373,28, 50,50,100,120"
alt="Périodiques"
</MAP>
```

Attributs	Description
Usage courant	
`name`	Nom unique dans le document HTML servant à établir un lien entre les coordonnées qui se trouvent dans cet élément et l'image à laquelle elles s'appliquent. **Obligatoire.**
Communs	
`%coreattrs`, `%i18n`, `%events`	
Commentaires	L'image dont les zones sont décrites par cet élément se trouve presque toujours dans le même document HTML que l'élément lui-même, mais ce n'est pas une obligation syntaxique.
Voir aussi	IMG

<MARQUEE> ... </MARQUEE>  

Description	Définit une *bannière* dont le texte, placé à l'intérieur de l'élément, peut défiler de différentes manières, selon la valeur de certains attributs.
Exemple	`<MARQUEE bgcolor="yellow" direction="right" height=50 align="bottom" vspace=20 scrollamount=5>Belle marquise, vos yeux d'amour mourir me font</MARQUEE>`
Attributs	**Description**
Usage courant	
`align`	Position du texte dans une fenêtre de hauteur `height`. Peut prendre les valeurs `top` (vers le haut), `middle` (au milieu) et `bottom` (vers le bas).
`behavior`	Détermine le comportement de la bannière. Peut prendre les valeurs `scroll` (de la droite vers la gauche et réapparaissant à droite — valeur par défaut), `slide` (de la droite vers la gauche avec arrêt lorsque le début du texte atteint le bord gauche) et `alternate` (comme `slide`, mais avec inversion du sens lorsque l'une des extrémités du texte atteint l'un des bords de la fenêtre).
`bgcolor`	Couleur d'arrière-plan de la fenêtre d'affichage.

`direction`	Détermine la direction du défilement lorsque `behavior` vaut `scroll`. Peut prendre les valeurs `left` (vers la gauche — valeur par défaut) ou `right` (vers la droite).
`height`	Hauteur de la fenêtre d'affichage, exprimée en pixels.
`hspace`	Espace horizontal compris entre les extrémités de la bannière et les bords de la fenêtre du navigateur.
`loop`	Nombre de passages de la bannière dans la fenêtre de défilement. Les valeurs –1, 0 ou `infinite` entraînent un défilement en boucle continue.
`scrollamount`	Nombre de pixels franchis entre chaque affichage. Plus ce nombre est grand, plus le défilement est rapide, mais devient saccadé.
`scrolldelay`	Délai, exprimé en millisecondes, entre chaque affichage de la bannière. Plus ce délai est petit, plus le défilement est rapide. La limite inférieure dépend du processeur équipant l'ordinateur ; elle est généralement de l'ordre de 10 à 20 ms.
`vspace`	Espace vertical laissé libre au-dessus et au-dessous de la bannière.
Commentaires	L'attribut `align` semble ignoré par les récentes versions de Internet Explorer.

<MENU> ... </MENU> 

Description	Etait prévu pour présenter les listes de rubriques de menus sur une seule colonne.

Exemple	Le menu Fichier comprend les entrées suivantes :
	`<MENU>`
	`<LI>Nouveau`
	`<LI>Ouvrir`
	`<LI>Fermer`
	`</MENU>`
	`<HR>`

Attributs	**Description**
Usage courant	
`type`	Type de puce utilisée. Valeurs possibles : `circle`, `disc`, `square`.

Plus rarement utilisé	
compact	Affichage avec une police de caractères plus resserrée. Peu implémenté.
Communs	
%coreattrs, %i18n, %events	
Commentaires	Netscape Navigator et Internet Explorer traitent MENU comme UL.
Voir aussi	DIR, MENU, OL

<META>

Description	Sert à identifier les propriétés d'un document (auteur, date de création, mots clés...). Chaque élément META comprend une paire *propriété/valeur*. Leur nombre n'est pas limité dans un document HTML.
Restriction d'utilisation	Interdit en dehors de la section d'en-tête.
Exemple	`<META name="Author" content="Jules Dupont">` `<META name="keywords" content ="Motobécane, Motobecane, vintage motorbikes, motos anciennes">`
Attributs	**Description**
Usage courant	
content	Valeur de la propriété du document HTML.
name	Nom de la propriété du document HTML. Bien qu'un certain nombre de mots clés soient couramment utilisés, la spécification HTML 4 n'en précise pas la liste.
Plus rarement utilisés	
http-equiv	Peut être utilisé à la place de l'attribut name. L'une des formes les plus utilisées permet de recharger le document HTML courant ou un autre après un certain laps de temps.
scheme	Permet à l'auteur Web de spécifier des renseignements pouvant faciliter l'interprétation de l'élément META.
Commentaires	Cet élément est principalement exploité par les moteurs de recherche et les outils de gestion des sites Web.

<NOBR> ... </NOBR>

Description	Le texte contenu dans l'élément est affiché sur une seule ligne, éventuellement coupé à droite s'il est plus long que la largeur de la fenêtre du navigateur.
Exemple	`<NOBR>La conscience est un être dans lequel il est question de son être en tant que cet être implique un être autre que le sien.</NOBR>`
Attributs	**Description**
Usage courant	
`aucun`	
Communs	
`%coreattrs`, `%i18n`, `%events`	
Voir aussi	`WBR`

<NOFRAMES> ... </NOFRAMES>

Description	Le contenu de cet élément ne sera exploité que par les navigateurs ignorant l'élément `FRAMESET`.
Restriction d'utilisation	Doit être précédé par un élément `FRAMESET` dans le même document HTML.

Exemple	`<NOFRAMES>`
	`<BODY BGCOLOR="#EEDD99" BACKGROUND="gnomq.gif">`
	`Désolé, cher visiteur, mais cette présentation ne peut être vue qu'avec un browser capable de reconnaître et d'exploiter les <I>frames</I>.`
	`<HR>`
	`</BODY>`
	`</NOFRAMES>`

Attributs	**Description**
Communs	
`%coreattrs`, `%i18n`, `%events`	
Commentaires	Deux usages possibles : signaler à l'utilisateur que son navigateur ne lui permet pas de voir la présentation ou constituer la page d'accueil d'une seconde version de la présentation n'utilisant pas les cadres.
Voir aussi	`FRAME`, `FRAMESET`

<NOSCRIPT> ... </NOSCRIPT>

Description	Sert principalement à afficher un message lorsque le navigateur est incapable de comprendre le script précédant cet élément, soit de façon native, soit à la suite d'une option choisie par l'utilisateur.
Restriction d'utilisation	L'usage veut que les scripts soient placés dans la section d'en-tête d'un document HTML, mais la spécification HTML 4 n'en fait pas une obligation.
Exemple	`<NOSCRIPT><H2>Votre navigateur ne reconnaît pas JavaScript</H2></NOSCRIPT>`

Attributs	**Description**
Communs	
`%coreattrs`, `%i18n`, `%events`	

Commentaires	Semble peu utilisé dans la pratique courante.
Voir aussi	`SCRIPT`

<OBJECT> ... </OBJECT>

Description	Insertion d'un *objet* (image, animation, fichier audio...) dans un document HTML.
Exemple	`<OBJECT data="exitc.mov" type ="video/quicktime">`

Attributs	**Description**
Usage courant	
`archive`	Liste d'archives contenant les classes ou autres ressources à précharger au moyen d'une instance de AppletClass-Loader. Ne concerne que les objets du type `applet`.
`classid`	URL de l'applet à charger.
`codebase`	Chemin d'accès utilisé pour résoudre les URL relatives des attributs `classid`, `data` et `archive`.
`codetype`	Code MIME indiquant le type d'informations attendues par un objet de type `applet`.
`data`	URL de l'objet à insérer. **Obligatoire.**

`declare`	Attribut booléen qui indique que l'élément définit les caractéristiques générales de l'objet sans procéder à son chargement. L'objet devra être instancié ultérieurement.
`standby`	Indique le texte à afficher pendant que l'objet se charge. Prévu pour les objets de grande taille dont le temps de chargement peut être très long.
`tabindex`	Ordre d'exploration par tabulation.
`type`	Type MIME de l'objet. Exemple : `video/quicktime` pour un fichier d'animation au format QuickTime.
Emploi déconseillé par le W3C	
`align`	Définit la mise en place de l'objet par rapport au texte environnant. En ce qui concerne l'alignement vertical, trois valeurs sont possibles : `bottom` (bas de l'objet aligné sur la ligne de base du texte, valeur par défaut), `top` (haut de l'objet aligné sur la ligne supérieure du texte) et `middle` (milieu de l'objet aligné sur la ligne de base du texte). Deux autres valeurs concernent la position horizontale de l'objet : `left` (à gauche) et `right` (à droite). Dans les deux cas, l'objet est appuyé sur la marge du côté désigné et il est entouré par le texte voisin, s'il existe.
`border`	Indique l'épaisseur de la bordure à tracer autour de l'image. Si cet attribut a la valeur zéro, la bordure n'est jamais tracée, même si l'image est un appel de lien. Quant à la couleur de la bordure, deux cas sont à considérer : 1. L'image est un appel de lien. Alors, la bordure sera de la couleur affectée aux appels de liens (le bleu, par défaut). 2. L'image est une image ordinaire. Alors, elle sera de la couleur définie pour le texte (le noir, par défaut). Si cet attribut est omis, la bordure n'est pas tracée.
`height`	Hauteur de la fenêtre d'insertion.
`hspace`	Spécifie la largeur de l'espace à ménager entre les bords verticaux de l'image et ce qui l'entoure.
`vspace`	Spécifie la hauteur de l'espace à ménager entre les bords horizontaux de l'image et ce qui l'entoure.
`width`	Largeur de la fenêtre d'insertion.

Communs	
%coreattrs, %i18n, %events	
Spéciaux	
usemap	URL du fichier de cartographie d'une image réactive.
name	N'est utilisé que si l'objet fait partie d'un formulaire.
Commentaires	L'implémentation de cet élément est très partielle. Il n'est pas rare que Internet Explorer "se plante" lorsqu'on lui demande de charger un objet, même simple.
Voir aussi	APPLET, IMG, PARAM

<OL> ... </OL>

Description : Définition d'une liste numérotée (on dit aussi *ordonnée*).

Exemple

```
<H4>Recette de l'œuf dur</H4>
<OL>
<LI>type=I value=4>Acheter un oeuf
<LI>Faire bouillir de l'eau
<LI>Y plonger délicatement l'oeuf
<LI>value=1>Attendre 10 minutes
<LI>Retirer l'oeuf
<LI>Arrêter le gaz
</OL>
```

Attributs	**Description**
Emploi déconseillé par le W3C	
compact	Affichage de la liste avec une police de caractères plus resserrée. (Semble n'avoir jamais été réellement implémenté.)
start	Valeur initiale de la numérotation.
type	Précise le type de numérotation des articles de la liste.
value	Précise la valeur initiale à attribuer au premier élément de la liste.
Communs	
%coreattrs, %i18n, %events	
Commentaires	Le W3C conseille d'utiliser les règles de style de la famille list-style-...

Voir aussi	DIR, MENU, LI, UL

<OPTGROUP> ... </OPTGROUP>

Description	Sous-élément de SELECT, indique un regroupement d'options ayant trait à un même sujet ou à une même rubrique.
Restriction d'utilisation	Interdit en dehors d'un élément SELECT présent dans un élément FORM.

Exemple

```
<SELECT name="Musicos">
<OPTGROUP size=2>
<OPTION value="Karajan">Herbert von Karajan
<OPTION value="Ormandy">Eugène Ormandy
<OPTION value="Ansermet">Ernest Ansermet
</OPTGROUP>
<OPTGROUP>
<OPTION value="Baremb">Daniel Barenboim
<OPTION value="Pera">Murray Perahia
...
</SELECT>
```

Attributs	Description
Usage courant	
disabled	Attribut booléen signifiant que le contrôle n'est pas disponible dans ce contexte.
label	Etiquette (identificateur) du groupe d'options. **Obligatoire.**
multiple	Attribut booléen autorisant des sélections multiples.
name	Assigne un nom au contrôle.
size	Nombre d'articles de la liste qui seront visibles à un moment donné. Il faudra faire défiler la fenêtre pour voir les autres.
tabindex	Ordre d'exploration par tabulation.
Communs	
%coreattrs, %i18n, %events	

Voir aussi	FORM, SELECT, OPTION

<OPTION>

Description	Spécifie un article dans une liste de choix possibles.
Restriction d'utilisation	Interdit en dehors d'un élément SELECT ou OPTGROUP présent dans un élément FORM.

Exemple	`<SELECT name="Musicos">`
	`<OPTION value="Karajan">Herbert von Karajan`
	`<OPTION value="Ormandy">Eugène Ormandy`
	`<OPTION value="Ansermet">Ernest Ansermet`
	`</SELECT>`

Attributs	**Description**
Usage courant	
selected	Attribut booléen signifiant que cette option est active par défaut.
value	Assigne une valeur au contrôle.
Plus rarement utilisé	
label	Utilisation dans les menus hiérarchisés pour spécifier un libellé plus court que le contenu de l'élément. Actuellement non implémenté.
Communs	
%coreattrs, %i18n, %events	
Voir aussi	FORM, SELECT, OPTGROUP

<P> ou <P> ... </P>

Description	Prévu pour contenir un paragraphe. Une ligne vierge est insérée avant la première ligne du paragraphe.

Exemple	`<P>En dehors des balises servant à inclure ou à référencer`
	`...`
	`spécification différente de celle de HTML proprement dit.</P>`

Attributs	**Description**
Communs	
%coreattrs, %i18n, %events	

Commentaires	L'emploi de la première forme (marqueur isolé) est déconseillé par le W3C.

<PARAM> 4 HTML

Description	Spécifie la valeur d'un argument passé à un objet inséré dans un document HTML.
Restriction d'utilisation	Interdit en dehors d'un élément `APPLET` ou `OBJECT`.

Exemple	`<P><OBJECT classid="http://www.msrvr.fr/clock.py">`
	`<PARAM name="height" value="50" valuetype="data">`
	`<PARAM name="width" value="60" valuetype="data">`
	`....`
	`</OBJECT>`

Attributs	**Description**
Usage courant	
`name`	Nom de l'argument.
`type`	Type de contenu de la ressource lorsque l'argument est passé par référence.
`value`	Valeur de l'argument.
`valuetype`	Indique le mode de passage de l'argument : par valeur (`data`), par référence (`ref`) ou comme résultat de l'exécution d'un autre objet (`object`). La valeur par défaut est `data`.
Commentaires	Il doit y avoir autant d'éléments `PARAM` qu'il y a d'arguments à passer à l'objet. Cet attribut existait déjà avant HTML 4 qui n'a fait que l'officialiser.
Voir aussi	`APPLET`, `OBJECT`

<PRE> ... </PRE>

Description	Le texte contenu dans cet élément est affiché tel quel, les tabulations, les espaces et les retours chariot étant respectés, et avec une police de caractères à pas fixe (généralement Courier).

Exemple	<PRE>
	`<B>Département    Numéro  Préfecture</B>`
	`Ain           01    Bourg-en-Bresse`
	`Aisne             02     Laon`
	`Allier            03     Moulins`
	`...`
	`Vosges            88     Epinal`
	`Yonne             89     Auxerre`
	`Terr. de Belfort  90     Belfort`
	`</PRE>`

Attributs	**Description**
Emploi déconseillé par le W3C	
`width`	Indique au navigateur la largeur du tableau sur l'écran. (Cet attribut semble ne jamais avoir été implémenté.)
Communs	
`%coreattrs`, `%i18n`, `%events`	
Commentaires	Il est possible de spécifier des enrichissements du texte préformaté (mise en gras, en italique, etc.). Etait auparavant utilisé pour présenter des tableaux alignés verticalement. Maintenant remplacé dans cet emploi par l'élément `TABLE`. La Figure 1.13 montre un exemple d'utilisation de cet élément.

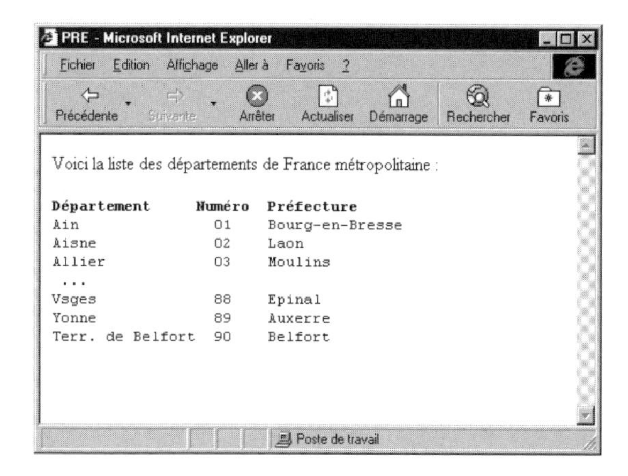

Figure 1.13 : Exemple d'utilisation de l'élément PRE.

<Q> ... </Q>

Description	Courtes citations.
Exemple	`On lui dit <Q>Prends les souris et laisse les oiseaux ! </Q>`
Attributs	**Description**
Communs	
`%coreattrs, %i18n, %events`	
Plus rarement utilisé	
`cite`	URL pointant sur un document expliquant les raisons de la suppression.
Commentaires	Le navigateur devrait normalement encadrer le texte cité par des guillemets. Non encore implémenté.

<S> ... </S>

Description	Le texte contenu dans cet élément est affiché barré (utilisé principalement dans des documents juridiques aux USA).
Exemple	`Ce type de contrat <S>avantage</S> lèse le souscripteur.`

Attributs	Description
Communs	
%coreattrs, %i18n, %events	
Commentaires	Cet élément est identique à l'élément STRIKE. Le W3C conseille d'utiliser pour cette fonction une feuille de style.
Voir aussi	STRIKE

<SAMP> ... </SAMP>

Description	Utilisé pour afficher des extraits de programmes ou de scripts.
Exemple	Tous les programmes C commencent par la déclaration : <SAMP> #include <stdio.h></SAMP>.
Attributs	**Description**
Plus rarement utilisé	
title	Informations sur le contenu de l'élément.
Communs	
%coreattrs, %i18n, %events	
Commentaires	Le texte est affiché avec une police à pas fixe.

<SCRIPT> ... </SCRIPT>

Description	Insertion d'un script dans le document HTML. Se place généralement dans la section d'en-tête.
Exemple	<SCRIPT type="text/javascript"> alert("Salut, les copains !") </SCRIPT>
Attributs	**Description**
Usage courant	
src	URL indiquant la source du script à insérer. Ne doit être utilisé que pour les scripts extérieurs au document HTML.

`type`	Type MIME du script. **Obligatoire** sauf si une déclaration `META` contenant l'attribut `http-equiv="Content-Script-Type"` l'indique.
Emploi déconseillé par le W3C	
`language`	Indique le langage dans lequel est écrit le script. Emploi déconseillé au profit de `type`.
Plus rarement utilisé	
`defer`	Attribut booléen signalant au navigateur que le script n'a aucune action immédiate sur le contenu du document HTML et qu'il peut donc le charger sans l'analyser.
Commentaires	Peut apparaître plusieurs fois dans la section d'en-tête du document ou dans son corps. `type` et `language` sont mutuellement exclusifs.

<SELECT> ... </SELECT>

Description	Cet élément renferme une série d'options qui seront présentées à l'utilisateur dans une boîte à liste déroulante.
Restriction d'utilisation	Interdit en dehors d'un élément `FORM`.

Exemple	`<SELECT name="Musicos">`
	`<OPTION value="Karajan>Herbert von Karajan`
	`<OPTION value="Ormandy">Eugène Ormandy`
	`<OPTION value="Ansermet">Ernest Ansermet`
	`</SELECT>`

Attributs	**Description**
Usage courant	
`disabled`	Attribut booléen signifiant que le contrôle n'est pas disponible dans ce contexte.
`multiple`	Attribut booléen autorisant des sélections multiples.
`name`	Assigne un nom au contrôle.
`size`	Nombre d'articles de la liste qui seront visibles à un moment donné. Il faudra faire défiler la fenêtre pour voir les autres.
`tabindex`	Ordre d'exploration par tabulation.

Communs	
%coreattrs, %i18n, %events	
Voir aussi	OPTION, OPTGROUP

<SMALL> ... </SMALL>

Description	Affiche le texte inclus avec une police plus petite.
Exemple	`Il avait écrit un <SMALL><SMALL> tout petit </SMALL></SMALL> programme.`
Attributs	**Description**
Plus rarement utilisé	
title	Informations sur le contenu de l'élément.
Communs	
%coreattrs, %i18n, %events	
Commentaires	La taille de la police varie entre les valeurs conventionnelles 1 et 7. On peut imbriquer plusieurs éléments SMALL, comme le montre l'exemple ci-dessous illustré par la Figure 1.14.

```
<HEAD>
<TITLE>L'élément SMALL</TITLE>
<BASEFONT SIZE=7>
</HEAD>

<BODY>
Sous les menaces, il devenait petit, <SMALL>petit, <SMALL>petit,
<SMALL>petit...</SMALL></SMALL></SMALL>
</BODY>
```

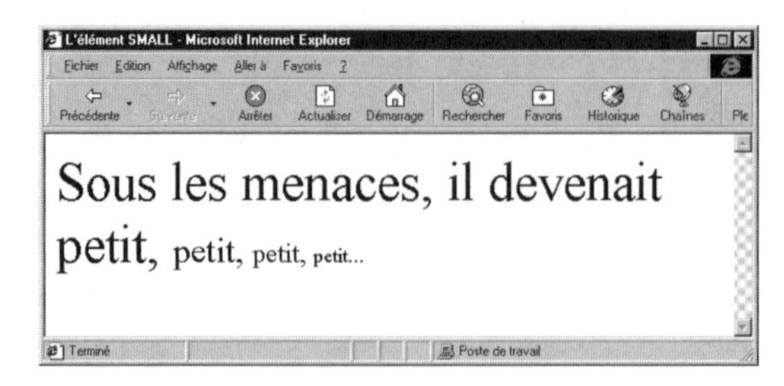

Figure 1.14 : Exemple d'imbrication de plusieurs éléments SMALL.

<SPAN> ... </SPAN>

Description	Sert à particulariser un sous-élément (cas de `DIV`, par exemple) pour y appliquer une mise en forme spéciale.
Exemple	`<DIV STYLE="font-weight:400; font-size:16pt">` `Le <SPAN STYLE="font-size:x-large">chêne</SPAN>,` `un jour, dit au <SPAN STYLE="font-size:x-small">` `roseau</SPAN> :` ` ` `<DIV STYLE="font-style:italic">` `"Vous avez bien sujet d'accuser la nature."` `</DIV>` `</DIV>` `</DIV>`
Attributs	**Description**
Communs	
`%coreattrs`, `%i18n`, `%events`	
Commentaires	Principalement utilisé avec des feuilles de style. Voir l'exemple ci-dessous, illustré par la Figure 1.15.
Voir aussi	`DIV`, `STYLE`, Annexe A

```
<DIV STYLE="{font-weight:400; font-size:16pt}">
  Le <SPAN STYLE="font-size:x-large">chêne</SPAN>, un jour, dit au
  <SPAN STYLE="{font-size:x-small}">roseau</SPAN> :
  <BR>
    <DIV STYLE="font-style:italic; color:blue">"Vous avez bien
    ➥ sujet d'accuser la nature."</DIV>
  </DIV>
</DIV>
```

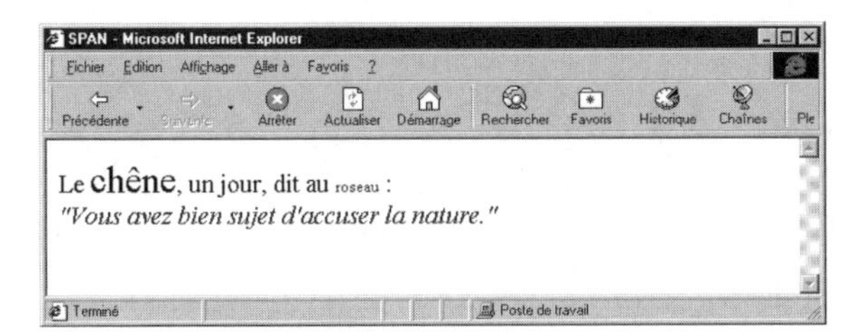

Figure 1.15 : Exemple d'utilisation de l'élément SPAN.

<STRIKE> ... </STRIKE>

Description	La texte contenu dans cet élément est affiché barré (utilisé principalement dans des documents juridiques aux USA).
Exemple	`Ce type de contrat <STRIKE> avantage</STRIKE> lèse le souscripteur.`
Attributs	**Description**
Communs	
`%coreattrs`, `%i18n`, `%events`	
Commentaires	Cet élément est identique à l'élément `S`. Le W3C conseille d'utiliser une feuille de style pour cette fonction.
Voir aussi	`S`

<STRONG> ... </STRONG>

Description	Destiné à marquer l'insistance sur une partie du texte.
Exemple	<STRONG>L'œil était dans la tombe et regardait Caïn</STRONG>
Attributs	**Description**
Plus rarement utilisé	
`title`	Informations sur l'élément placé entre les balises.
Communs	
`%coreattrs`, `%i18n`, `%events`	
Commentaires	Rendu par une mise en italique avec Netscape Navigator et Internet Explorer.

<STYLE> ... </STYLE>

Description	Permet d'appliquer une mise en forme à un document HTML au moyen de règle(s) de style.

Exemple	`<STYLE type="text/css">`
	`.data{font-weight:300}`
	`.client{font-family:arial;`

```
color :blue}
P{font-weight:900}
#dupont{color:green}
</STYLE>
```

Attributs	Description
Usage courant	
`type`	Type MIME du langage de la feuille de style. Avec CSS (voir Annexe A), c'est toujours `text/css`.
Communs	
`%i18n`	
Plus rarement utilisés	
`media`	Type de média, ou liste de types de médias séparés par des virgules, utilisé pour l'affichage. Valeur par défaut : `screen` (écran).
`title`	Informations sur le contenu de l'élément.
Commentaires	Les règles de style peuvent aussi être appliquées localement à un ou plusieurs éléments d'un document HTML au moyen des éléments `DIV` et `SPAN` et de l'attribut `style`.
Voir aussi	`DIV`, `SPAN`

_{...}

Description	Le contenu de l'élément est affiché comme un indice, avec une police plus petite, sous la ligne de base normale du texte. (Vient de l'anglais *subscript* : indice.)
Exemple	La formule de l'acide sulfurique est SO₄ H₂.
Attributs	**Description**
Communs	
`%coreattrs`, `%i18n`, `%events`	
Commentaires	Peu utilisé en dehors de textes techniques comme dans l'exemple illustré par la Figure 1.16.

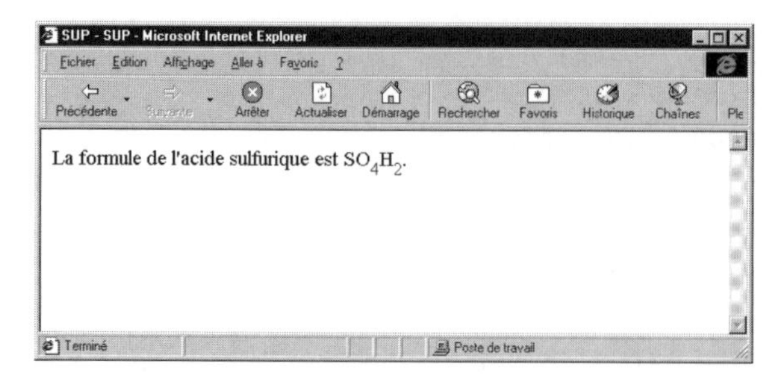

Figure 1.16 : Exemple d'utilisation de l'élément SUB.

^{...}

Description	Le contenu de l'élément est affiché comme un exposant, avec une police plus petite et au-dessus de la ligne de base normale du texte. (Vient de l'anglais *superscript* : exposant.)
Exemple	`J'ai rencontré la fille de M<SUP>me</SUP> Dubois et le D<SUP>r</SUP> Morin.`
Attributs	**Description**
Communs	
`%coreattrs`, `%i18n`, `%events`	
Commentaires	Peu utilisé en dehors de textes techniques. L'exemple ci-dessous, illustré par la Figure 1.17, est un cas limite dont bien peu d'auteurs Web s'embarrassent.

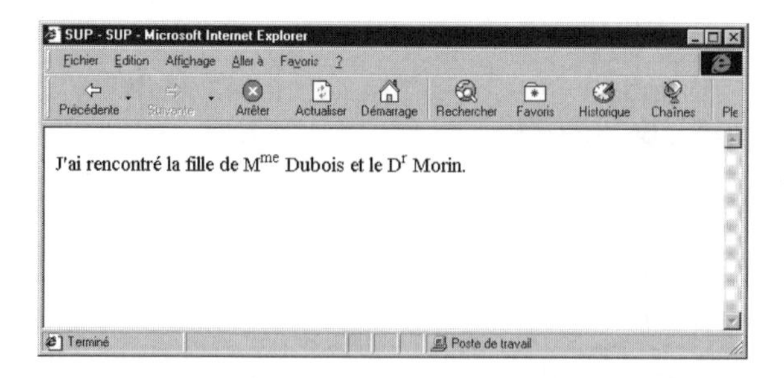

Figure 1.17 : Exemple d'utilisation de l'élément SUP.

<TABLE> ... </TABLE>

Description	Mise en pages d'un tableau. Il peut contenir n'importe quel objet HTML (valeurs numériques, chaînes de caractères, images... ou même d'autres tableaux). Un tableau est organisé en lignes divisées chacune en cellules.
Exemple	Voir l'exemple ci-dessous.
Attributs	**Description**
Usage courant	
`border`	Epaisseur de la bordure des cellules du tableau. Vaut zéro par défaut. Cette valeur est toujours exprimée en pixels.
`cellpadding`	Espace libre dans les deux directions entre le contenu d'une cellule et ses bordures.
`cellspacing`	Espace libre dans les deux directions entre les bordures de deux cellules adjacentes.
`width`	Largeur du tableau dans la fenêtre du navigateur. Peut s'exprimer en pixels (valeur absolue) ou en pourcentage de la largeur de la fenêtre (valeur relative).
Emploi déconseillé par le W3C	
`align`	Mise en place du tableau dans la largeur de la page.
`bgcolor`	Définit la couleur de fond de l'ensemble des cellules du tableau.
Communs	
`%coreattrs`, `%i18n`, `%events`	
Plus rarement utilisés	
`frame`	Indique les bordures du cadre et des cellules qui seront affichées. Non implémenté par Netscape Navigator.
`rules`	Règles qui apparaîtront entre les cellules d'un tableau. Le W3C précise que le rendu dépend du navigateur. Nous conseillons donc d'éviter soigneusement l'utilisation de cet attribut. Non implémenté par Netscape Navigator.
`summary`	Indique l'objet du tableau. En principe réservé aux médias tels que les synthétiseurs de parole. Non implémenté actuellement.

Commentaires	Cet élément est utilisé non seulement pour des tableaux de valeurs, mais aussi pour réaliser des mises en pages sophistiquées lorsque l'on ne veut pas (ou que l'on ne peut pas) utiliser de feuille de style. Le listing ci-dessous montre comment composer un tableau simple. Le résultat est illustré par la copie d'écran de la Figure 1.18.
Voir aussi	CAPTION, COL, COLGROUP, TD, TH, TR

```
<STYLE type="text/css">
TD, TH {text-align:center}
TR {width=150}
#total {font-size:14pt; font-weight:800}
</STYLE>
</HEAD>
<BODY>

<H2>Club des loisirs de week-end</H2>

<TABLE border="1">
 <CAPTION><BIG>Bilan des cotisations</BIG></CAPTION>
  <TR>
     <TH>Nom</TH>
     <TH>Pêche</TH>
     <TH>Chasse</TH>
     <TH>Photo</TH>
  <TR>
     <TD>Jules Dupont</TD>
     <TD>200</TD>
     <TD>200</TD>
     <TD>-</TD>
  <TR>
     <TD>Al Martin</TD>
     <TD>-</TD>
     <TD>200</TD>
     <TD>-</TD>
  <TR>
     <TD>Rosine Durand</TD>
     <TD>-</TD>
     <TD>-</TD>
     <TD>100</TD>
  <TR id=total>
     <TD>Totaux</TD>
     <TD>200</TD>
     <TD>400</TD>
     <TD>100</TD>
</TABLE>
</BODY>
```

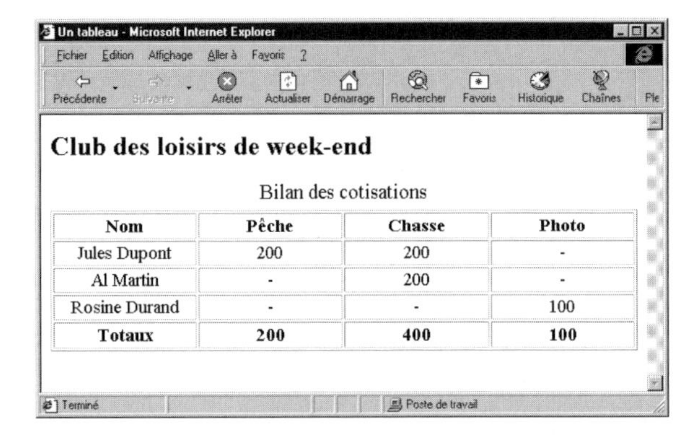

Club des loisirs de week-end

Bilan des cotisations

Nom	Pêche	Chasse	Photo
Jules Dupont	200	200	-
Al Martin	-	200	-
Rosine Durand	-	-	100
Totaux	**200**	**400**	**100**

Figure 1.18 : Exemple d'utilisation de l'élément TABLE.

<TBODY> ... <TBODY> ou <TBODY>

Description	Regroupement de lignes d'un tableau.
Restriction d'utilisation	Interdit en dehors d'un élément `TABLE`.
Exemple	Voir l'exemple ci-dessous.
Attributs	**Description**
Usage courant	
`align`	Alignement horizontal des cellules de la ligne.
`valign`	Alignement vertical des cellules de la ligne.
Communs	
`%coreattrs`, `%i18n`, `%events`	
Commentaires	A utiliser parcimonieusement en raison du peu d'enthousiasme des éditeurs de navigateurs à l'implémenter. Le listing ci-dessous en montre un exemple d'utilisation dont le résultat est reproduit sur la copie d'écran de la Figure 1.19.
Voir aussi	`TABLE`, `TFOOT`, `THEAD`

```
<TABLE BORDER=1>

<THEAD align="center">
<TR>
<TD colspan=7>En-tête du tableau
```

```
</THEAD>

<TFOOT align=center>
<TR>
<TD colspan=7>Pied de tableau
</TFOOT>

<COL width=120 align="right" valign="middle">
<COL width=80>
<COL valign="bottom" align="right">
<COL width=75>
<COL width=20>
<COL align="center" valign="bottom" width=80>

<TBODY>
<TR>
<TD>Le chêne, un jour, dit au roseau :<TD>2<TD>3<TD>4 <TD>5<TD>6
<TR>
<TD>1<TD>2<TD>3<TD>Le chêne, un jour, dit au roseau : <TD>5<TD>6
<TR>
<TD>1<TD>2<TD>PI = 3.1415026535<TD>4<TD>5<TD>6
<TR>
<TD>1<TD>2<TD>3<TD>4<TD>5<TD>Le chêne, un jour, dit au roseau :
<TR>
<TD>1<TD>2<TD>3<TD>4<TD>5<TD>6

</TBODY>
</TABLE>
```

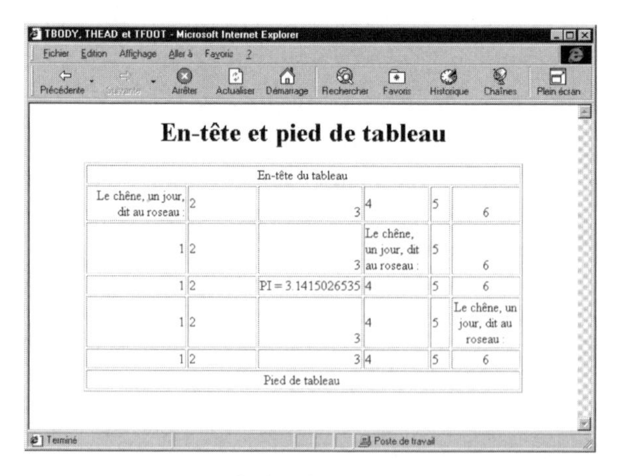

En-tête du tableau					
Le chêne, un jour, dit au roseau :	2	3	4	5	6
1	2	3	Le chêne, un jour, dit au roseau :	5	6
1	2	PI = 3.1415026535	4	5	6
1	2	3	4	5	Le chêne, un jour, dit au roseau :
1	2	3	4	5	6
Pied de tableau					

Figure 1.19 : Exemple d'utilisation de l'élément TBODY.

<TD> ... </TD> ou <TD>

Description	Contenu d'une cellule. N'importe quel objet HTML.
Restriction d'utilisation	Interdit en dehors de l'élément TR, qui est lui-même interdit en dehors de l'élément TABLE.
Exemple	<TD>3.1415926535 <TD>Le chêne, un jour, dit au roseau :</TD> <TD><IMG src="monimage.jpg"></TD>
Attributs	**Description**
Usage courant	
align	Alignement horizontal des cellules de la ligne. Valeurs possibles : left (à gauche), center (centré) right (à droite), justify (justifié) ou char (sur un caractère particulier).
colspan	Nombre de colonnes regroupées pour cette cellule.
rowspan	Nombre de lignes regroupées pour cette cellule.
valign	Alignement vertical des cellules de la ligne. Valeurs possibles : top (en haut), middle (au milieu), bottom (en bas) ou baseline (sur la ligne de base du texte).
Emploi déconseillé par le W3C	
bgcolor	Couleur de fond de la cellule.
height	Hauteur de la cellule.
nowrap	Attribut booléen indiquant qu'il ne faut pas replier une ligne trop longue pour la largeur de la cellule.
width	Largeur de la cellule.
Plus rarement utilisés	Non encore implémentés.
char	Caractère d'alignement vertical.
charoff	Décalage horizontal de l'alignement vertical.
Communs	
%coreattrs, %i18n, %events	
Spéciaux	Destinés à des médias tels que les synthétiseurs de parole. Non encore implémentés.
abbr	Forme abrégée du contenu de la cellule.

`axis`	Liste de noms de catégories séparés par des virgules. Cet attribut peut être utilisé pour placer une cellule en des catégories conceptuelles pouvant être considérées comme des axes dans un espace à *n* dimensions (*sic*).
`headers`	Liste d'en-têtes de cellules séparés par des virgules.
`scope`	Portée de l'attribut `headers`.
Commentaires	Certains navigateurs peuvent avoir du mal à formater correctement un tableau lorsque la balise terminale est omise. Mieux vaut donc continuer à utiliser la forme complète de l'élément : `<TD> ... </TD>`.

<TEXTAREA> ... </TEXTAREA>

Description	Zone d'entrée acceptant plusieurs lignes de texte.
Restriction d'utilisation	Interdit en dehors de l'élément `FORM`.

Exemple	`<TEXTAREA name="montexte"`
	`rows="10" cols="40">`
	`... lignes de texte affichées initialement ...`
	`</TEXTAREA>`

Attributs	**Description**
Usage courant	
`accesskey`	Affecte une touche d'accès rapide à l'élément.
`cols`	Largeur de la zone d'affichage exprimée en nombre de caractères.
`disabled`	Attribut booléen signifiant que le contrôle n'est pas disponible dans ce contexte.
`name`	Nom du contrôle.
`readonly`	La zone d'entrée est verrouillée en écriture.
`rows`	Hauteur de la zone d'affichage exprimée en nombre de lignes.
`tabindex`	Définit un ordre d'exploration par tabulation.
Communs	
`%coreattrs`, `%i18n`, `%events`	

Commentaires	Peut également être utilisé pour une seule ligne de texte quand la valeur 1 est donnée à l'attribut `rows`. La Figure 1.20 présente deux exemples d'utilisation de cet élément.

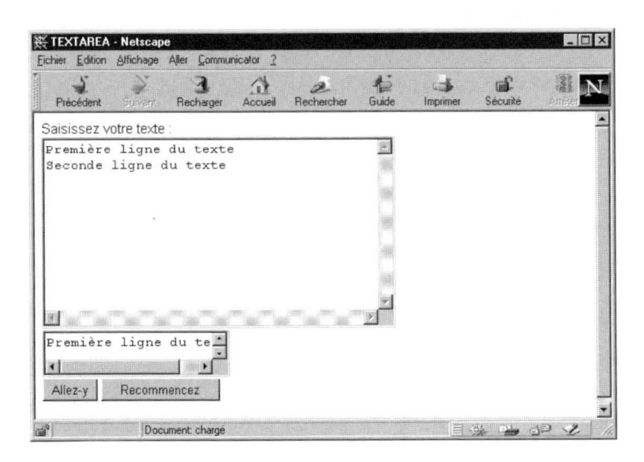

Figure 1.20 : Exemples d'utilisation de l'élément TEXTAREA.

<TFOOT> ... <TFOOT>

Description	Spécification d'un pied de tableau.
Restriction d'utilisation	Interdit en dehors d'un élément `TABLE`.
Exemple	Voir l'exemple ci-dessous.
Attributs	**Description**
Usage courant	
`align`	Alignement horizontal des cellules de la ligne. Valeurs possibles : `left` (à gauche), `center` (centré) `right` (à droite), `justify` (justifié) ou `char` (sur un caractère particulier).
`valign`	Alignement vertical des cellules de la ligne. Valeurs possibles : `top` (en haut), `middle` (au milieu), `bottom` (en bas) ou `baseline` (sur la ligne de base du texte).
Communs	
`%coreattrs`, `%i18n`, `%events`	

Commentaires	Les éléments THEAD et TFOOT décrivent respectivement l'en-tête et le pied d'un tableau. Ils devraient théoriquement être reproduits en haut et en bas de chaque page lorsque le tableau est imprimé. Il n'en est rien actuellement. Le listing ci-dessous présente un exemple d'utilisation de cet élément dont la copie d'écran de la Figure 1.21 montre le résultat.
Voir aussi	TABLE, TBODY, THEAD

```
<TABLE BORDER=1>

<THEAD align="center">
<TR>
<TD colspan=7>En-tête du tableau
</THEAD>

<TFOOT align=center>
<TR>
<TD colspan=7>Pied de tableau
</TFOOT>

<COL width=120 align="right" valign="middle">
<COL width=80>
<COL valign="bottom" align="right">
<COL width=75>
<COL width=20>
<COL align="center" valign="bottom" width=80>

<TBODY>
<TR>
<TD>Le chêne, un jour, dit au roseau :<TD>2<TD>3<TD>4<TD>5<TD>6
<TR>
<TD>1<TD>2<TD>3<TD>Le chêne, un jour, dit au roseau :<TD>5<TD>6
<TR>
<TD>1<TD>2<TD>PI = 3.1415026535<TD>4<TD>5<TD>6
<TR>
<TD>1<TD>2<TD>3<TD>4<TD>5<TD>Le chêne, un jour, dit au roseau :
<TR>
<TD>1<TD>2<TD>3<TD>4<TD>5<TD>6

</TBODY>
</TABLE>
```

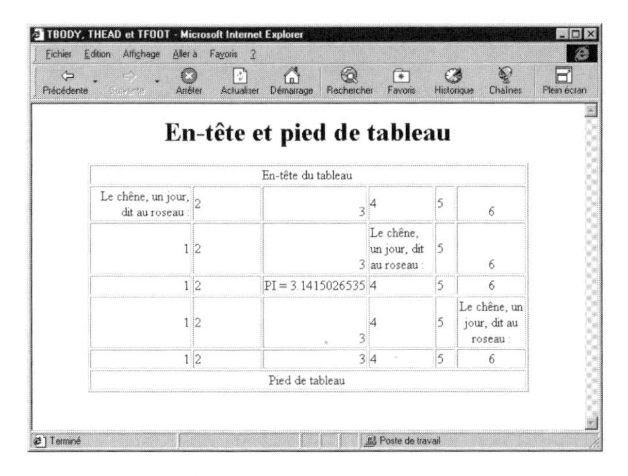

Figure 1.21 : Exemple d'utilisation de l'élément TFOOT.

<TH> ... </TH> ou <TH>

Description	Contenu d'une cellule d'en-tête. Consiste presque toujours en une chaîne de caractères qui se trouve affichée centrée et en caractères gras. A part ces détails, le comportement de `TD` et de `TH` est identique.
Restriction d'utilisation	Interdit en dehors de l'élément `TR`, lui-même interdit en dehors de l'élément `TABLE`.
Exemple	Voir l'exemple ci-dessous.
Attributs	**Description**
Usage courant	
`align`	Alignement horizontal des cellules de la ligne. Valeurs possibles : `left` (à gauche), `center` (centré), `right` (à droite), `justify` (justifié) ou `char` (sur un caractère particulier).
`colspan`	Nombre de colonnes regroupées pour cette cellule.
`rowspan`	Nombre de lignes regroupées pour cette cellule.
`valign`	Alignement vertical des cellules de la ligne. Valeurs possibles : `top` (en haut), `middle` (au milieu), `bottom` (en bas) ou `baseline` (sur la ligne de base du texte).
Emploi déconseillé par le W3C	
`bgcolor`	Couleur de fond de la cellule.

height	Hauteur de la cellule.
nowrap	Attribut booléen indiquant qu'il ne faut pas replier une ligne trop longue pour la largeur de la cellule.
width	Largeur de la cellule.
Plus rarement utilisés	Non encore implémentés.
char	Caractère d'alignement vertical.
charoff	Décalage horizontal de l'alignement vertical.
Communs	
%coreattrs, %i18n, %events	
Spéciaux	Destinés à des médias tels que les synthétiseurs de parole. Non encore implémentés.
abbr	Forme abrégée du contenu de la cellule.
axis	Liste de noms de catégories séparés par des virgules. Cet attribut peut être utilisé pour placer une cellule en des catégories conceptuelles pouvant être considérées comme des axes dans un espace à *n* dimensions (*sic*).
headers	Liste d'en-têtes de cellules séparés par des virgules.
scope	Portée de l'attribut headers.
Commentaires	Certains navigateurs peuvent avoir du mal à formater correctement un tableau lorsque la balise terminale est omise. Mieux vaut donc continuer à utiliser la forme complète de l'élément : <TH> ... </TH>. Le listing ci-dessous présente un exemple d'application de cet élément qu'illustre la Figure 1.22.

```
<!-- Le centrage des valeurs a été réalisé par une feuille de
style -->
<TABLE border=1 width=400>
<CAPTION>Nombre de jours de présence</CAPTION>
<TR>
<TH> </TH><TH>Henri Martin</TH><TH>Jules Dupont</TH>
</TR>

<TR>
<TH>Septembre</TH><TD>21</TD><TD>12</TD>
</TR>

<TR>
```

```
<TH>Octobre</TD><TD>15<TD>18</TD>
</TR>
</TABLE>
```

Figure 1.22 : Exemple d'utilisation de l'élément TH.

<THEAD> ... <THEAD>  

Description	Spécification d'un en-tête de tableau.
Restriction d'utilisation	Interdit en dehors d'un élément `TABLE`.
Exemple	Voir l'exemple ci-dessous.
Attributs	**Description**
Usage courant	
`align`	Alignement horizontal des cellules de la ligne. Valeurs possibles : `left` (à gauche), `center` (centré) `right` (à droite), `justify` (justifié) ou `char` (sur un caractère particulier).
`valign`	Alignement vertical des cellules de la ligne. Valeurs possibles : `top` (en haut), `middle` (au milieu), `bottom` (en bas) ou `baseline` (sur la ligne de base du texte).
Communs	
`%coreattrs`, `%i18n`, `%events`	

Commentaires	Les éléments THEAD et TFOOT décrivent respectivement l'en-tête et le pied d'un tableau. Ils devraient théoriquement être reproduits en haut et en bas de chaque page lorsque le tableau est imprimé. Il n'en est rien actuellement. Le listing ci-dessous montre un exemple de l'utilisation de cet élément illustré par la copie d'écran de la Figure 1.23.
Voir aussi	TABLE, TBODY, TFOOT

```
<TABLE BORDER=1>

<THEAD align="center">
<TR>
<TD colspan=7>En-tête du tableau
</THEAD>

<TFOOT align=center>
<TR>
<TD colspan=7>Pied de tableau
</TFOOT>

<COL width=120 align="right" valign="middle">
<COL width=80>
<COL valign="bottom" align="right">
<COL width=75>
<COL width=20>
<COL align="center" valign="bottom" width=80>

<TBODY>
<TR>
<TD>Le chêne, un jour, dit au roseau :<TD>2<TD>3<TD>4<TD>5<TD>6
<TR>
<TD>1<TD>2<TD>3<TD>Le chêne, un jour, dit au roseau :<TD>5<TD>6
<TR>
<TD>1<TD>2<TD>PI = 3.1415026535<TD>4<TD>5<TD>6
<TR>
<TD>1<TD>2<TD>3<TD>4<TD>5<TD>Le chêne, un jour, dit au roseau :
<TR>
<TD>1<TD>2<TD>3<TD>4<TD>5<TD>6

</TBODY>
</TABLE>
```

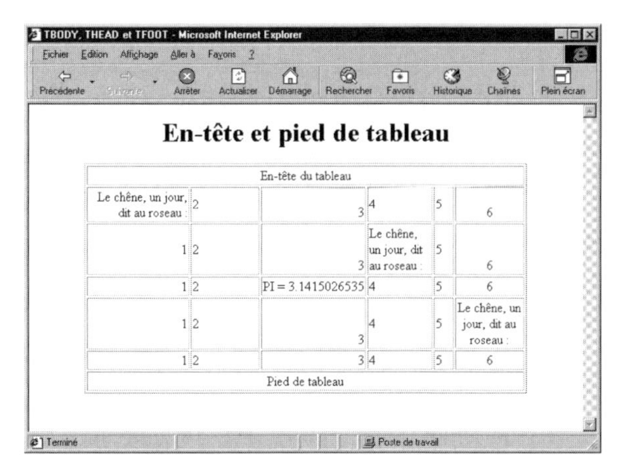

Figure 1.23 : Exemple d'utilisation de l'élément THEAD.

<TITLE> ... </TITLE>

Description	Donne un titre au document HTML. Ce titre sera généralement affiché dans la Barre des tâches du navigateur.
Restriction d'utilisation	Interdit en dehors de la section d'en-tête `HEAD`.
Exemple	`<TITLE>Exemple d'utilisation de la balise < TITLE></TITLE>`
Attributs	**Description**
Communs	
`%i18n`	
Commentaires	Bien que le W3C signale que la présence de cet élément est obligatoire, les navigateurs s'en passent fort bien. Le titre peut contenir des entités de caractères, mais ne peut contenir aucun autre marqueur ou balise. Le contenu de cet élément est principalement exploité par les moteurs de recherche.

<TR> ... </TR> ou <TR>

Description	Cet élément contient une rangée de cellules d'un tableau.
Restriction d'utilisation	Interdit en dehors de l'élément TABLE.

Exemple	`<TABLE>`
	`...`
	`<TR>`
	`<TD>1</TD>`
	`<TD>2</TD>`
	`<TD>Le chêne, un jour, dit au roseau :</TD>`
	`...`
	`</TR>`
	`...`
	`</TABLE>`

Attributs	**Description**
Usage courant	
align	Alignement horizontal des cellules de la ligne. Valeurs possibles : left (à gauche), center (centré) right (à droite), ou char (sur un caractère particulier).
valign	Alignement vertical des cellules de la ligne. Valeurs possibles : top (en haut), middle (au milieu), bottom (en bas) ou baseline (sur la ligne de base du texte).
Emploi déconseillé par le W3C	
bgcolor	Couleur de fond des cellules de la ligne.
Communs	
%coreattrs, %i18n, %events	
Plus rarement utilisés	Actuellement non implémentés.
char	Caractère d'alignement vertical.
charoff	Décalage horizontal de l'alignement vertical.
Voir aussi	TABLE

<TT> ... </TT>

Description	Affiche le texte inclus avec une police à pas fixe.
Exemple	`Pour essayer un télétype, tapez la phrase suivante : <TT> Portez ce vieux whisky au juge blond qui fume.</TT>.`
Attributs	**Description**
Plus rarement utilisé	
`title`	Informations sur le contenu de l'élément.
Communs	
`%coreattrs`, `%i18n`, `%events`	
Commentaires	

<U> ... </U>

Description	Affiche le texte inclus en le soulignant.
Exemple	`Vous devez payer cette facture <U>avant le 15 juillet</U>.`
Attributs	**Description**
Plus rarement utilisé	
`title`	Informations sur le contenu de l'élément.
Communs	
`%coreattrs`, `%i18n`, `%events`	
Commentaires	Peut être remplacé par la propriété `text-decoration:underline` dans une feuille de style.

<UL> ... </UL>

Description	Définition d'une liste non numérotée (on dit aussi *à puces*).

Exemple	`<H4>Recette de l'oeuf dur</H4>`
	`<OL>`
	`<LI>type=I value=4>Acheter un oeuf`
	`<LI>Faire bouillir de l'eau`

```
<LI>Y plonger délicatement l'oeuf
<LI>value=1>Attendre 10 minutes
<LI>Retirer l'oeuf
<LI>Arrêter le gaz
</OL>
```

Attributs	**Description**
Emploi déconseillé par le W3C	
`compact`	Affichage de la liste avec une police de caractères plus resserrée. (Semble n'avoir jamais été réellement implémenté.)
`type`	Précise le type de numérotation des articles de la liste.
`value`	Précise la valeur initiale à attribuer au premier élément de la liste.
Communs	
`%coreattrs`, `%i18n`, `%events`	
Commentaires	Le W3C conseille d'utiliser les règles de style de la famille `list-style-....`
Voir aussi	`DIR`, `MENU`, `LI`, `OL`

<VAR> ... </VAR>

Description	Utilisé pour afficher l'instance d'une variable ou d'un argument de programme.
Exemple	`Saisissez une valeur pour la variable <VAR> Quantité</VAR>.`
Attributs	**Description**
Plus rarement utilisé	
`title`	Informations sur le contenu de l'élément.
Communs	
`%coreattrs`, `%i18n`, `%events`	
Commentaires	Le texte est généralement affiché en italique.

<WBR> 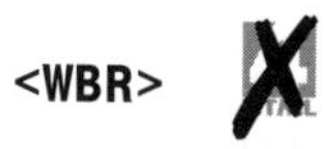 

Description	Autorise une coupure du texte à cet endroit si la largeur de la fenêtre est trop petite pour que le texte soit affiché tout entier.
Restriction d'utilisation	Interdit en dehors d'un élément `NOBR`.
Exemple	`<NOBR>L'animal seul, Monsieur, qu'Aristophane appelle hippocampéléphantocamélos<WBR> Dut avoir sur le front tant de chair sur tant d'os.</NOBR>`
Attributs	**Description**
Communs	
`%coreattrs, %i18n, %events`	
Commentaires	Bien que cet élément soit reconnu par Netscape Navigator et par Internet Explorer, il n'en est fait aucune mention dans le document de référence du W3C.
Voir aussi	`NOBR`

2
Les attributs

Eléments et attributs

Presque toutes les balises HTML utilisent un ou plusieurs attributs afin de préciser certains paramètres. Nécessaires, comme pour l'attribut `src` dans l'élément `IMG`. Complémentaires et non strictement indispensables, comme pour l'attribut `alt` dans ce même élément.

Les attributs déconseillés

L'une des innovations de HTML 4 par rapport aux spécifications précédentes a été de déconseiller l'utilisation des attributs ayant un rapport avec la présentation des documents HTML en suggérant de leur préférer les feuilles de style. Dans la Description

du rôle des attributs qui constitue cette Partie II, les attributs déconseillés sont explicitement signalés. Cependant, répétons qu'il ne faut pas prendre cette recommandation au pied de la lettre et s'interdire absolument d'utiliser ces attributs en raison du retard pris par presque tous les éditeurs de navigateurs dans l'implémentation des feuilles de style de type CSS1.

Les attributs communs

Ainsi que nous l'avons indiqué dans la Partie I, il existe trois groupes d'attributs dits *common attributs*. Bien que la traduction exacte de cette expression soit *attributs ordinaires*, nous avons préféré *attributs communs* qui est plus près de l'expression originale et correspond bien à sa signification. Ce sont des attributs génériques qui peuvent figurer dans presque tous les éléments. Ils sont répartis en trois groupes (`%coreattrs`, `%i18n`, `%events`) qui seront expliqués en tête de la section "Liste alphabétique des attributs HTML".

Unités utilisées

La valeur que l'on doit donner à un attribut dépend de sa signification. Elle peut s'exprimer, entre autres, par des caractères, par une URL, par une valeur numérique.

Dans ce dernier cas, cette valeur peut représenter un nombre de pixels (valeur absolue) ou un pourcentage d'un autre élément de la page (valeur relative). Enfin, dans certains cas, l'attribut ne reçoit pas de valeur : c'est un *attribut booléen* dont la seule présence dans la balise a pour effet d'activer l'option à laquelle il correspond (exemple : checked dans l'élément INPUT).

Liste alphabétique des attributs HTML

Le seul pictogramme qui sera utilisé dans cette liste est ✗ qui signifie "Usage déconseillé par le W3C". Rappelons que tous les attributs d'un élément signalé comme "deprecated" le sont automatiquement pour cet élément.

Info

Comme les noms des éléments, les noms d'attributs et les mots clés peuvent indifféremment s'écrire en capitales ou en bas de casse. Nous avions choisi d'écrire les noms d'éléments en capitales, aussi écrirons-nous les noms d'attributs en bas de casse.

Attributs communs

%coreattrs

Ce sont des attributs très généraux. Les trois premiers sont principalement utilisés avec les feuilles de style et la plupart des navigateurs récents les ont actuellement implémentés.

id

Dans les éléments	Tous éléments sauf BASE, HEAD, HTML, META, SCRIPT, STYLE, TITLE
Signification	Etiquette unique apposée sur un élément particulier dans un même document HTML.
Exemple	`<IMG id="portrait" src="monimage.gif" alt="Portrait de l'auteur">`
Unité ou type	**Description**
Chaîne de caractères	Identificateur dans le document HTML considéré.
Commentaires	Principalement utilisé avec les feuilles de style.

class

Dans les éléments	Tous éléments sauf BASE, BASEFONT, HEAD, HTML, META, PARAM, SCRIPT, STYLE, TITLE
Signification	Liste de noms de classes séparés par des virgules. Un même élément peut appartenir à une ou plusieurs classes arbitrairement définies par l'auteur Web.
Exemple	<IMG class="photos" src="monimage.gif" alt="Portrait de l'auteur">
Unité ou type	**Description**
Chaîne de caractères	Nom de classe arbitrairement défini par l'auteur Web et pouvant apparaître dans un ou plusieurs éléments du document HTML. Un même élément peut appartenir à plusieurs classes.
Commentaires	Principalement utilisé avec les feuilles de style.

style

Dans les éléments	Tous éléments sauf BASE, BASEFONT, HEAD, HTML, META, PARAM, SCRIPT, STYLE, TITLE
Signification	Définition de règles de style ponctuelles pour cette instance de l'élément.
Exemple	<P style="color:blue; text-align:justify"> Tout le contenu de ce paragraphe jusqu'à la balise </P> sera affiché en appui sur les deux marges latérales et avec la couleur bleu.</P>
Unité ou type	**Description**
Chaîne de caractères	Suite de règles de style séparées par des points-virgules et placées entre guillemets.
Commentaires	Principalement utilisé avec les feuilles de style.

title

Dans les éléments	Tous éléments sauf BASE, BASEFONT, HEAD, HTML, META, PARAM, SCRIPT, TITLE (ainsi que IFRAME)
Signification	Informations (ou développement particulier) affichées lorsque le pointeur de la souris reste immobile pendant au moins une seconde sur l'élément..
Exemple	<IMG SRC="frame2.gif" title="Mon bon chien Fredo" width=125>
Unité ou type	**Description**
Chaîne de caractères	Texte qui sera affiché dans une infobulle.
Commentaires	La Figure 2.1 montre un exemple d'utilisation de cet attribut dans un élément IMG. Quoi qu'en dise le document de référence du W3C, on voit mal comment les éléments FRAME et FRAMESET pourraient bénéficier de cet attribut puisque ce qui est affiché dans la fenêtre du navigateur est le document pointé par l'attribut src et non pas le document contenant les éléments FRAME et FRAMESET. Une expérience avec Internet Explorer confirme la véracité de cette remarque.

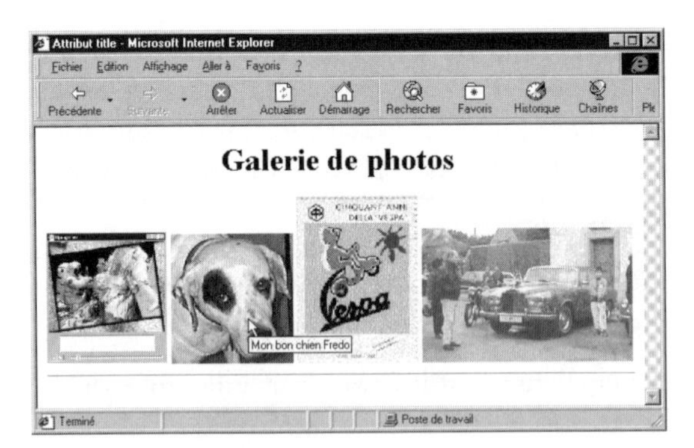

Figure 2.1 : Exemple d'emploi de l'attribut title.

%i18n

Il s'agit d'attributs d'internationalisation qui, à l'heure actuelle, ne sont pas encore implémentés par les navigateurs courants.

lang

Dans les éléments	Tous éléments sauf APPLET, BASE, BASEFONT, BR, FRAME, FRAMESET, HR, IFRAME, PARAM, SCRIPT
Signification	Indique le langage dans lequel utiliser l'élément.
Exemple	`<DIV lang="frn">`
Unité ou type	**Description**
Chaîne de caractères	Nom correspondant aux spécifications du document RFC1766.
Commentaires	Curiosité : outre `frn` pour le français, il existe `fra` pour le "franco-provençal", `frc` pour le "français cajun" et `fre` pour le "français guyanais".

dir

Dans les éléments	Tous éléments sauf APPLET, BASE, BASEFONT, BR, FRAME, FRAMESET, HR, IFRAME, PARAM, SCRIPT
Signification	Sens de la lecture et de l'écriture. Présence **obligatoire** dans l'élément BDO.
Exemple	`<P dir="rtl">`
Unité ou type	**Description**
Mot clé	`ltr` (de gauche à droite, valeur par défaut) et `rtl` (de droite à gauche).
Commentaires	Non implémenté à l'heure actuelle.

events

Il s'agit d'attributs de gestion d'événements résultant d'actions de l'utilisateur sur la souris ou le clavier. Ces événements sont presque toujours exploités au moyen d'un script.

onclick

Dans les éléments	Tous éléments sauf APPLET, BASE, BASEFONT, BDO, BR, FONT, FRAME, FRAMESET, HEAD, HTML, IFRAME, ISINDEX, META, PARAM, SCRIPT, STYLE, TITLE
Signification	Evénement survenant lorsque l'utilisateur clique sur l'élément.
Exemple	<IMG src="vespa.jpg" alt="Vespa" onclick="ecoute()">
Unité ou type	**Description**
Chaîne de caractères	Appel d'une routine d'un script.

ondbleclick

Dans les éléments	Tous éléments sauf APPLET, BASE, BASEFONT, BDO, BR, FONT, FRAME, FRAMESET, HEAD, HTML, IFRAME, ISINDEX, META, PARAM, SCRIPT, STYLE, TITLE
Signification	Evénement survenant lorsque l'utilisateur double-clique sur l'élément.
Exemple	<IMG src="vespa.jpg" alt="Vespa" ondbleclick=" ecoute()">
Unité ou type	**Description**
Chaîne de caractères	Appel d'une routine d'un script.

onkeydown

Dans les éléments	Tous éléments sauf APPLET, BASE, BASEFONT, BDO, BR, FONT, FRAME, FRAMESET, HEAD, HTML, IFRAME, ISINDEX, META, PARAM, SCRIPT, STYLE, TITLE
Signification	Evénement survenant lorsque, le pointeur de la souris étant sur l'élément, l'utilisateur appuie sur une touche du clavier.
Exemple	<H1 onkeydown="plonge('verne')"> 20 000 lieues sous les mers</H1>
Unité ou type	**Description**
Chaîne de caractères	Appel d'une routine d'un script.

onkeypress

Dans les éléments	Tous éléments sauf APPLET, BASE, BASEFONT, BDO, BR, FONT, FRAME, FRAMESET, HEAD, HTML, IFRAME, ISINDEX, META, PARAM, SCRIPT, STYLE, TITLE
Signification	Evénement survenant lorsque, le pointeur de la souris étant sur l'élément, l'utilisateur appuie sur une touche du clavier, puis la relâche.
Exemple	`<DIV onkeypress="scrute('12.34')">`
Unité ou type	**Description**
Chaîne de caractères	Appel d'une routine d'un script.

onkeyup

Dans les éléments	Tous éléments sauf APPLET, BASE, BASEFONT, BDO, BR, FONT, FRAME, FRAMESET, HEAD, HTML, IFRAME, ISINDEX, META, PARAM, SCRIPT, STYLE, TITLE
Signification	Evénement survenant lorsque, le pointeur de la souris étant sur l'élément, l'utilisateur relâche une touche du clavier.
Exemple	`<H1 onkeyup="emerge ('verne')"> 20 000 lieues sous les mers</H1>`
Unité ou type	**Description**
Chaîne de caractères	Appel d'une routine d'un script.

onmousedown

Dans les éléments	Tous éléments sauf APPLET, BASE, BASEFONT, BDO, BR, FONT, FRAME, FRAMESET, HEAD, HTML, IFRAME, ISINDEX, META, PARAM, SCRIPT, STYLE, TITLE
Signification	Evénement survenant lorsque, le pointeur de la souris étant sur un élément, l'utilisateur appuie sur un bouton de la souris.
Exemple	`<H1 onmousedown="plonge('verne')"> 20 000 lieues sous les mers</H1>`
Unité ou type	**Description**
Chaîne de caractères	Appel d'une routine d'un script.

onmousemove

Dans les éléments	Tous éléments sauf APPLET, BASE, BASEFONT, BDO, BR, FONT, FRAME, FRAMESET, HEAD, HTML, IFRAME, ISINDEX, META, PARAM, SCRIPT, STYLE, TITLE
Signification	Evénement survenant lorsque, le pointeur de la souris étant sur un élément, il est déplacé tout en restant sur l'élément.
Exemple	`<DIV onmousemove="scrute('12.34')">`
Unité ou type	**Description**
Chaîne de caractères	Appel d'une routine d'un script.

onmouseout

Dans les éléments	Tous éléments sauf APPLET, BASE, BASEFONT, BDO, BR, FONT, FRAME, FRAMESET, HEAD, HTML, IFRAME, ISINDEX, META, PARAM, SCRIPT, STYLE, TITLE
Signification	Evénement survenant lorsque, le pointeur de la souris étant sur un élément, il est déplacé en dehors de l'élément.
Exemple	`<H1 onmouseout="emerge ('verne')"> 20 000 lieues sous les mers</H1>`
Unité ou type	**Description**
Chaîne de caractères	Appel d'une routine d'un script.

onmousover

Dans les éléments	Tous éléments sauf APPLET, BASE, BASEFONT, BDO, BR, FONT, FRAME, FRAMESET, HEAD, HTML, IFRAME, ISINDEX, META, PARAM, SCRIPT, STYLE, TITLE
Signification	Evénement survenant lorsque le pointeur de la souris vient à l'intérieur d'un élément.
Exemple	`<DIV onmouseover="cherche('abcd')">`
Unité ou type	**Description**
Chaîne de caractères	Appel d'une routine d'un script.

onmouseu

Dans les éléments	Tous éléments sauf APPLET, BASE, BASEFONT, BDO, BR, FONT, FRAME, FRAMESET, HEAD, HTML, IFRAME, ISINDEX, META, PARAM, SCRIPT, STYLE, TITLE
Signification	Evénement survenant lorsque, le pointeur de la souris étant sur un élément, l'utilisateur relâche un bouton de la souris.
Exemple	`<P onmouseup="adieu()">`
Unité ou type	**Description**
Chaîne de caractères	Appel d'une routine d'un script.
Commentaires	Il existe d'autres attributs de gestion d'événements : `onblur`, `onchange`, `onfocus`, `onload`, `onreset`, `onselect`, `onsubmit` et `onunload` qui sont spécifiques d'un ou plusieurs éléments particuliers et qui, pour cette raison, ne font pas partie des attributs communs. On les retrouvera dans la section suivante.

Attributs spécifiques

abbr

Dans les éléments	TD, TH
Signification	Principalement destiné aux synthétiseurs de parole et aux traducteurs en braille. Destiné à fournir une explication abrégée du contenu d'une cellule de tableau.
Exemple	`<TD abbr="trois virgule quatorze">3.14</TD>`
Unité ou type	**Description**
Chaîne de caractères	Texte à synthétiser.
Commentaires	Peu usité actuellement.

accept

Dans l'élément	INPUT
Signification	Liste de types MIME acceptés par le serveur qui traitera les données du formulaire transmises par un contrôle. S'applique particulièrement au type `file`.

Exemple	`<INPUT type="file" accept="text/html" name="toto">`
Unité ou type	**Description**
Chaîne de caractères	Type MIME parmi ceux définis par les [RFC2045] et [RFC2046].
Commentaires	Peu usité actuellement.

accept-charset

Dans l'élément	FORM
Signification	Liste des jeux de caractères acceptés par l'IANA, séparés par des virgules, acceptés par le serveur recevant les données du formulaire. Pour plus de détails, consulter le site **http://ds.internic.net/rfc/rfc1700.txt**.
Exemple	`<FORM accept-charset="euc-jp" action="mailto:jdupont@msrvr.fr">`
Unité ou type	**Description**
Chaîne de caractères	Nom d'un jeu de caractères.
Commentaires	Peu usité actuellement.

accesskey

Dans les éléments	A, AREA, BUTTON, INPUT, LABEL, LEGEND, TEXTAREA
Signification	Touche d'accès rapide à l'élément.
Exemple	`<INPUT type="text" name="util" accesskey="U">`
Unité ou type	**Description**
Caractère	Un seul caractère du jeu ISO standard à 128 caractères.
Commentaires	Surtout utilisé à l'intérieur d'un formulaire. L'implémentation dépend de la plate-forme utilisée. Il peut être nécessaire, par exemple, que l'utilisateur appuie en même temps sur une touche de fonction telle que <Alt>.

action

Dans l'élément	FORM
Signification	Spécifie le moyen qui sera utilisé pour envoyer les données d'un formulaire saisies par l'utilisateur. La forme la plus utilisée est une URL du type `http://...` faisant référence à un script CGI installé sur le serveur. On peut aussi envoyer les données par courrier électronique au moyen d'un protocole `mailto:`. Cet attribut est **obligatoire**.
Exemple	`<FORM action="http://www.msrvr.fr/cgi-bin/traite.pl>`
Unité ou type	**Description**
URL	Référence à un protocole `http://` ou `mailto:`.
Commentaires	Beaucoup de fournisseurs d'accès n'acceptent pas, pour des raisons de sécurité, que leurs clients installent des scripts CGI sur leur machine.

align 

Dans l'élément	CAPTION
Signification	Détermine l'emplacement du titre d'un tableau.
Exemple	`<CAPTION align=bottom>`
Unité ou type	**Description**
Mots clés	`bottom` : au-dessous. `top` : au-dessus `left` : à gauche (valeur par défaut pour le sens normal d'écriture `ltr`). `right` : à droite.
Commentaires	Seules les deux premières valeurs sont acceptées par Netscape Navigator. Internet Explorer accepte les quatre d'une façon particulière. Si `left` ou `right` seuls sont spécifiés, le titre sera placé en tête du tableau et en appui à gauche ou à droite. Ce navigateur accepte aussi l'attribut `valign`, ce qui permet d'écrire, par exemple : `<CAPTION align="right" valign="bottom">`. Il s'agit ici d'une extension ne figurant pas dans la spécification officielle de HTML 4.

align 

Dans les éléments	APPLET, IFRAME, IMG, INPUT, OBJECT
Signification	Détermine la position de l'objet par rapport à son contexte.
Exemple	`<IMG src="monimage.gif" align="right">`
Unité ou type	**Description**
Mots clés	bottom : au dessous.
	middle : au milieu. top : au dessus. left : à gauche (valeur par défaut pour le sens normal d'écriture ltr). right : à droite.
Commentaires	Les deux dernières valeurs entraînent un *flottement* de l'objet qui peut ainsi être enveloppé par les autres objets environnants (généralement du texte).

align 

Dans l'élément	LEGEND
Signification	Détermine la position de la légende par rapport au groupement de contrôles déterminé par l'élément FIELDSET.
Exemple	`<LEGEND align="bottom">Adresse personnelle </LEGEND>`
Unité ou type	**Description**
Mots clés	bottom : au-dessous. top : au-dessus. left : à gauche (valeur par défaut). right : à droite.
Commentaires	Il est donc impossible de placer une légende en bas et à droite puisqu'un attribut ne peut avoir qu'une seule valeur. Quoi qu'il en soit, Netscape Navigator ignore l'élément LEGEND, et Internet Explorer ne reconnaît que les valeurs left et right.

align 

Dans l'élément	TABLE
Signification	Détermine la position du tableau dans la fenêtre du navigateur.
Exemple	`<TABLE align="center">`
Unité ou type	**Description**
Mots clés	Les valeurs possibles sont : `left` (à gauche — valeur par défaut pour le sens normal d'écriture `ltr`), `center` (au centre) et `right` (à droite).

align 

Dans l'élément	HR
Signification	Détermine la position du filet horizontal dans la fenêtre du navigateur.
Exemple	`<HR align="center">`
Unité ou type	**Description**
Mots clés	`left` : à gauche (valeur par défaut pour le sens normal d'écriture `ltr`). `center` : au centre. `right` : à droite.

align 

Dans les éléments	DIV, H1, H2, H3, H4, H5, H6, P
Signification	Détermine la position de la division, du titre ou du paragraphe dans la fenêtre du navigateur.
Exemple	`<H1 align="center">Table des matières</H1>`
Unité ou type	**Description**
Mots clés	`left` : à gauche (valeur par défaut pour le sens normal d'écriture `ltr`). `center` : au centre. `right` : à droite. `justify` : aligné sur les deux marges verticales.

align

Dans les éléments	COL, COLGROUP, TBODY, TD, TFOOT, TH, THEAD, TR
Signification	Détermine la position du contenu d'une cellule de tableau dans la cellule.
Exemple	`<TD align="right">`
Unité ou type	**Description**
Mots clés	`left` : à gauche (valeur par défaut pour le sens normal d'écriture `ltr`). `center` : au centre. `right` : à droite. `justify` : aligné sur les deux marges verticales. `char` : aligné sur un caractère particulier du contenu de la cellule (".", par défaut).
Commentaires	C'est le seul cas où l'usage de cet attribut n'est pas déconseillé par le W3C. Notons que nombre des éléments concernés ne sont pas encore implémentés.

alink 

Dans l'élément	BODY
Signification	Indique la couleur dans laquelle seront affichés les liens actifs.
Exemple	`<BODY alink="magenta">`
Unité ou type	**Description**
Nom de couleur	Nom conventionnel (voir Annexe D).
Triplet RGB	Suite de trois valeurs hexadécimales comprises entre 00 et FF précédées du caractère dièse (#).
Commentaires	D'un point de vue plus général, il est déconseillé de modifier la couleur des liens, au risque d'égarer le visiteur, sauf si on a choisi pour la page une couleur d'affichage du texte qui pourrait prêter à confusion avec la couleur par défaut des liens.

alt

Dans les éléments	APPLET, AREA, IMG
Signification	Texte de remplacement affiché par le navigateur lorsqu'il ne peut pas présenter l'objet désigné par l'élément, soit parce qu'il en est incapable, soit parce que l'utilisateur a désactivé cette option d'affichage (principalement pour les images).
Exemple	`<IMG SRC="timbre2.gif" alt="Timbre à la gloire du Vespa">`
	La Figure 2.2 montre ce que verra l'utilisateur ayant désactivé l'affichage des images.
Unité ou type	**Description**
Texte	Chaîne de caractères dans laquelle les caractères accentués seront remplacés par des entités de caractères.
Commentaires	Les attributs `alt` et `title` ne sont pas incompatibles.

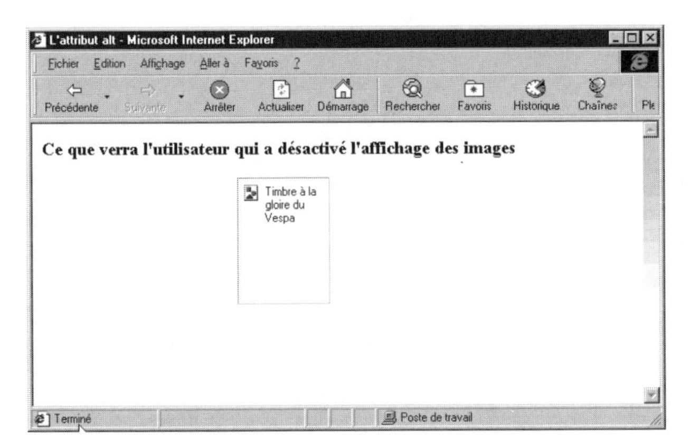

Figure 2.1 : Exemple d'emploi de l'attribut title.

archive 

Dans l'élément	APPLET
Signification	Liste d'URL séparées par des virgules.
Exemple	`<APPLET code="AudioItem" width="15" height="15", archive="http://msrvr.fr/classes/audio">`

Unité ou type	Description
URL	Classes et autres ressources devant être préchargées. Emploi déconseillé puisque l'élément APPLET est maintenant remplacé par l'élément OBJECT.

archive

Dans l'élément	OBJECT
Signification	Liste d'URL séparées par des virgules.
Exemple	`<OBJECT title="Saturne" classid="http://www.nasa.gov/planets/saturn.py" archive="http://www.nasa.gov/planets/resources">`
Unité ou type	**Description**
URL	Ressources en rapport avec l'objet. Eventuellement celles qui sont spécifiées par les attributs classid et data.

axis

Dans les éléments	TD, TH
Signification	Utilisé pour placer une cellule dans des catégories contextuelles pouvant être considérées comme formant des axes dans un espace à *n* dimensions. (Définition reprise telle quelle du document de référence du W3C.)
Exemple	`<TH id="a6" axis="location">San Jose</TH>`
Unité ou type	**Description**
Chaîne de caractères	Nom de catégorie.
Commentaires	Permettrait de classer le contenu d'une cellule (normale ou d'en-tête) dans une catégorie particulière. Non implémenté actuellement.

background 

Dans l'élément	BODY
Signification	URL d'une image qui servira de fond de page pour le document HTML.
Exemple	`<BODY background="images/a0234 .jpg">`
Unité ou type	**Description**
URL	Généralement de type relatif et concernant le plus souvent une image au format JPEG. L'image est dupliquée par effet de mosaïque pour couvrir toute la surface de la fenêtre du navigateur.
Commentaires	Pour réaliser l'exemple illustré par la Figure 2.3, on a volontairement bordé d'un liséré blanc les quatre côtés de l'image afin de mettre en évidence l'effet de mosaïque.

Figure 2.3 : Exemple d'emploi de l'attribut background.

bgcolor 

Dans l'élément	BODY
Signification	Détermine la couleur unie de fond de page du document HTML.
Exemple	`<BODY bgcolor="#A0B0C0">`
Unité ou type	**Description**
Nom de couleur	Nom conventionnel (voir Annexe D).
Triplet RGB	Suite de trois valeurs hexadécimales comprises entre 00 et FF précédées du caractère dièse (#).

bgcolor 

Dans l'élément	TABLE
Signification	Détermine la couleur d'arrière-plan de l'ensemble des cellules du tableau.
Exemple	<TABLE bgcolor="teal">
Unité ou type	**Description**
Nom de couleur	Nom conventionnel (voir Annexe D).
Triplet RGB	Suite de trois valeurs hexadécimales comprises entre 00 et FF précédées du caractère dièse (#).

bgcolor 

Dans les éléments	TD, TH
Signification	Détermine la couleur d'arrière-plan de la cellule du tableau.
Exemple	<TH bgcolor="#6090C0">
Unité ou type	**Description**
Nom de couleur	Nom conventionnel (voir Annexe D).
Triplet RGB	Suite de trois valeurs hexadécimales comprises entre 00 et FF précédées du caractère dièse (#).

border 

Dans les éléments	IMG, OBJECT
Signification	Détermine l'épaisseur de la bordure extérieure de l'objet.
Exemple	<IMG src="maison.gif" border=5>
Unité ou type	**Description**
Nombre de pixels	Epaisseur absolue de la bordure.
Commentaires	La valeur par défaut de cet attribut est 0, sauf si l'objet est utilisé comme appel de lien, auquel cas il est entouré d'une bordure dont l'épaisseur dépend du navigateur. On peut alors supprimer cette bordure en lui donnant une épaisseur égale à zéro.

`border`

Dans l'élément	`TABLE`
Signification	Détermine l'épaisseur des bordures des cellules et du tableau lui-même.
Exemple	<TABLE border=2>
Unité ou type	**Description**
Nombre de pixels	Epaisseur absolue de la bordure.
Commentaires	Valeur par défaut : 0. Le rendu exact de la bordure (effet de relief ou non) dépend du navigateur et l'épaisseur de la bordure n'est pas réellement égale à la valeur indiquée comme en témoigne la Figure 2.4.

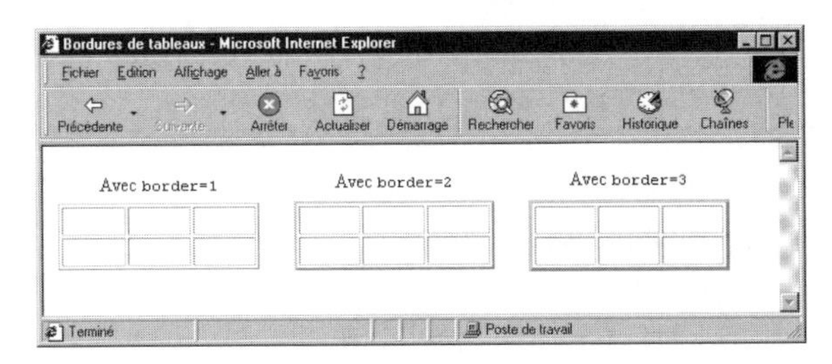

Figure 2.4 : Exemple de bordures de tableaux d'épaisseurs différentes.

`cellpadding`

Dans l'élément	`TABLE`
Signification	Détermine l'espace libre entre le contenu d'une cellule et ses bordures.
Exemple	<TABLE cellpadding=5>
Unité ou type	**Description**
Nombre de pixels	Valeur de l'espace ménagé des quatre côtés du contenu de la cellule.
Pourcentage	Valeur de l'espace ménagé des quatre côtés du contenu de la cellule exprimée en fonction de la largeur du tableau.
Commentaires	La valeur par défaut n'est pas spécifiée par le W3C. Elle est généralement égale à 1. La Figure 2.5 montre trois exemples d'emploi des attributs `cellpadding` et `cellspacing`.

cellspacing

Dans l'élément	`TABLE`
Signification	Détermine l'espace libre entre les bordures de chaque cellule.
Exemple	`<TABLE cellspacing="15 %">`
Unité ou type	**Description**
Nombre de pixels	Valeur absolue de l'espace ménagé entre les bordures des cellules.
Pourcentage	Valeur relative de l'espace ménagé entre les bordures des cellules, exprimée en fonction de la largeur du tableau.
Commentaires	La valeur par défaut n'est pas spécifiée par le W3C. Elle est généralement égale à 1. La Figure 2.5 montre trois exemples d'emploi des attributs `cellpadding` et `cellspacing`.

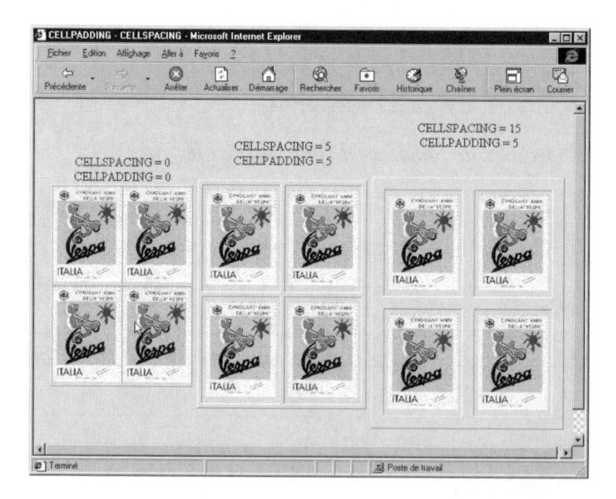

Figure 2.5 : Exemples d'emploi des attributs cellpadding et cellspacing.

char

Dans les éléments	COL, COLGROUP, TBODY, TD, TFOOT, TH, THEAD, TR
Signification	Indique le caractère d'alignement pour les valeurs contenues dans une ou plusieurs cellules de tableau.
Exemple	`<COL align="char" char=",">`
Unité ou type	**Description**
Caractère	Caractère placé entre guillemets. Par défaut, c'est le point décimal (.).
Commentaires	Utilisé en conjonction avec l'attribut `align`.

charoff

Dans les éléments	COL, COLGROUP, TBODY, TD, TFOOT, TH, THEAD, TR
Signification	Indique le décalage par rapport au caractère d'alignement pour les valeurs contenues dans une ou plusieurs cellules de tableau.
Exemple	`<COL align="char" char="," charoff=3>`
Unité ou type	**Description**
Caractère	Caractère placé entre guillemets. Par défaut, c'est le point décimal (.).
Commentaires	Utilisé en conjonction avec l'attribut `align` (lorsqu'il prend la valeur `char`) et l'attribut `char`.

charset

Dans les éléments	A, LINK, SCRIPT
Signification	Indique le jeu de caractères utilisé par la ressource appelée par le lien.
Exemple	`<A href="http://www.w3.org/" charset="ISO-8859-1">W3C Web site</A>`
Unité ou type	**Description**
Chaîne de caractères	Nom d'un jeu de caractères défini par l'IANA. Pour plus de détails, consulter le site **http://ds.internic .net/rfc/rfc1700.txt**.
Commentaires	Peu usité.

checked

Dans l'élément	INPUT
Signification	Lorsque le type du contrôle est radio ou checkbox, signale le contrôle du groupe qui sera sélectionné par défaut.
Exemple	`<INPUT type="radio" name="sexe" value="Male" checked> Homme`
Unité ou type	**Description**
Sans	Attribut booléen.
Commentaires	Cet attribut est ignoré pour les autres types de contrôles.

cite

Dans les éléments	BLOCKQUOTE, Q
Signification	Informations complémentaires sur l'élément.
Exemple	`<BLOCKQUOTE cite="explica.htm">`
Unité ou type	**Description**
URL	URL relative ou absolue pointant vers un document ou un message explicatif.
Commentaires	En principe, cette URL désigne le document source d'où est extraite la citation.

cite

Dans les éléments	DEL, INS
Signification	Informations sur les raisons de la modification du document HTML.
Exemple	`<DEL cite="http://msrvr.fr/ukase/raison.htm">`
Unité ou type	**Description**
URL	URL relative ou absolue pointant vers un document ou un message explicatif.
Commentaires	En principe, cet URL désigne un document expliquant les raisons de la modification du document courant.

classid

Dans l'élément	OBJECT
Signification	Spécifie l'adresse de l'implémentation d'un objet.
Exemple	`<OBJECT classid="http://msrvr.fr/analogclock.py"> </OBJECT>`
Unité ou type	**Description**
URL	Adresse de l'implémentation d'un objet.
Commentaires	Peut venir compléter l'attribut `data`.

clear

Dans l'élément	BR
Signification	Spécifie à quelle marge doit commencer une nouvelle ligne dans le document.
Exemple	`<BR clear="left">`
Unité ou type	**Description**
Mots clés	`left` : à gauche (valeur par défaut pour le sens normal d'écriture `ltr`). `right` : à droite. `all` : une quelconque des deux marges.

code

Dans l'élément	APPLET
Signification	Nom d'un fichier de classe ou chemin d'accès à cette classe.
Exemple	`<APPLET code="horloge.class" width="200" height="100">`
Unité ou type	**Description**
URL	Fichier de classe ou chemin d'accès à cette classe.
Commentaires	L'usage de l'élément APPLET est déconseillé par le W3C.

codebase 

Dans l'élément	APPLET
Signification	URL de base de l'applet.
Exemple	`<APPLET codetype="application/java-archive" classid="java:program.start"> codebase="http://www.msrvr.fr/java/montruc/" </APPLET>`
Unité ou type	**Description**
URL	URL de base de l'applet.
Commentaires	L'usage de l'élément APPLET est déconseillé par le W3C.

codebase

Dans l'élément	OBJECT
Signification	Chemin d'accès utilisé pour résoudre les URL relatives spécifiées par les attributs classid, data et archive.
Exemple	`<OBJECT codetype="application/java-archive" classid="java:program.start"> codebase="http://www.msrvr.fr/java/montruc </OBJECT>`
Unité ou type	**Description**
URL	URL de base de l'objet.

codetype

Dans l'élément	OBJECT
Signification	Type du contenu des informations pointées par l'attribut classid.
Exemple	`<OBJECT codetype="application/java-archive" classid="java:program.start"> </OBJECT>`
Unité ou type	**Description**
Chaîne de caractères	Type MIME parmi ceux définis par les [RFC2045] et [RFC2046].

color

Dans les éléments	BASEFONT, FONT
Signification	Couleur du texte.
Exemple	`<FONT color="green">`
Unité ou type	**Description**
Nom de couleur	Nom conventionnel (voir Annexe D).
Triplet RGB	Suite de trois valeurs hexadécimales comprises entre 00 et FF précédées du caractère dièse (#).
Commentaires	L'usage des éléments BASEFONT et FONT est déconseillé par le W3C.

cols

Dans l'élément	FRAMESET
Signification	Liste de valeurs spécifiant le partage vertical de la fenêtre du navigateur.
Exemple	`<FRAMESET cols="10 %, 500, *">`
Unité ou type	**Description**
Nombre de pixels	Valeur absolue de la largeur du cadre.
Pourcentage	Valeur relative de la largeur du cadre exprimée en fonction de la largeur de la fenêtre du navigateur.
*	Signifie "ce qui reste disponible en largeur dans la fenêtre du navigateur".
Commentaires	cols et rows sont mutuellement exclusifs dans un même élément FRAMESET. L'un des deux est **obligatoire**.

cols

Dans l'élément	TEXTAREA
Signification	Précise la largeur de la zone de saisie en nombre de colonnes.
Exemple	`<TEXTAREA cols=50>`

Unité ou type	Description
Nombre de colonnes	Valeur absolue de la largeur du cadre.
Commentaires	Bien que le document de référence du W3C stipule que la présence de cet attribut est obligatoire, en son absence, les navigateurs lui attribuent une valeur par défaut de l'ordre de 20.

`colspan`

Dans les éléments	`TD`, `TH`
Signification	Indique un regroupement de colonnes pour agrandir la cellule considérée dans le sens horizontal.
Exemple	`<TD colspan=3>`
Unité ou type	**Description**
Nombre sans dimension	Nombre de colonnes.
Commentaires	Des attributs `colspan` et `rowspan` d'un même tableau peuvent se trouver en conflit. Dans ce cas, le résultat dépend du navigateur utilisé. La Figure 2.6 montre un exemple d'emploi de l'attribut `colspan`.

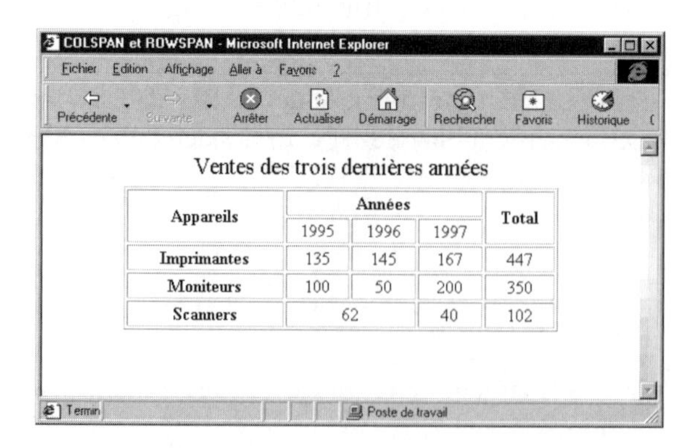

Figure 2.6 : Exemple d'élargissement de cellules avec l'attribut colspan.

compact 

Dans les éléments	DIR, MENU, OL, UL, DL
Signification	Affichage avec une police de caractères plus resserrée.
Exemple	`<OL compact>`
Unité ou type	**Description**
Mot clé	Attribut booléen.
Commentaires	Semble n'avoir jamais fait l'objet d'une quelconque implémentation.

content

Dans l'élément	META
Signification	Spécifie une valeur de propriété relative au document courant.
Exemple	`<META name="author" content="Jules Dupont">`
Unité ou type	**Description**
Chaîne de caractères	Dépend de la propriété (attribut name).
Commentaires	La spécification du W3C ne donne pas de liste de mots clés définis ou réservés. L'élément META est utilisé en particulier par les moteurs de recherche.

coords

Dans les éléments	A, AREA
Signification	Découpage en zones sensibles d'une image réactive.
Exemple	`<AREA href="bigaro.htm" shape="rect" coords="100,0,199,100">`
Unité ou type	**Description**
Pixels	Coordonnées de la zone sensible. Pour un rectangle, ce sont les coordonnées de la diagonale principale, pour un cercle, ce sont les coordonnées du centre suivies de la longueur du rayon et pour un polygone, ce sont les coordonnées de ses sommets consécutifs.
Commentaires	Généralement utilisé avec l'élément AREA.

data

Dans l'élément	OBJECT
Signification	Emplacement des données de l'objet.
Exemple	<OBJECT data="bonjour.mpeg" type="application/mpeg"></OBJECT>
Unité ou type	**Description**
URL	URL relative (cas le plus fréquent) ou absolue pointant sur l'objet (image, ou vidéo, par exemple).

datetime

Dans les éléments	DEL, INS
Signification	Représentation conventionnelle d'un groupe date heure.
Exemple	<DEL URL="http://www.msrvr.fr/modifs/annul23.htm" datetime="1999-12-21T23:12:51+02:00">
Unité ou type	**Description**
Chaîne de caractères	AAAA-MM-JJThh:mm:ssTZD AAAA : année exprimée sur quatre chiffres. MM : mois. JJ : jour. hh : heure. mm : minutes. ss : secondes. TZD : coordonnées UTC (décalage algébrique du fuseau horaire) sous la forme ±hh:mm (heures, minutes).

declare

Dans l'élément	OBJECT
Signification	La déclaration de l'objet n'a qu'une valeur informative. L'objet proprement dit ne sera pas chargé immédiatement.
Exemple	<OBJECT classid="http://www.msrvr.fr/clock.py" declare> </OBJECT>

Unité ou type	Description
Mot clé	Attribut booléen.

defer

Dans l'élément	SCRIPT
Signification	Signale au navigateur qu'il n'y a rien à afficher immédiatement dans le script qu'il charge et qu'il peut donc se dispenser de l'analyser à cet effet.
Exemple	`<SCRIPT type="text/javascript" defer>`
Unité ou type	**Description**
Mot clé	Attribut booléen.

disabled

Dans les éléments	BUTTON, INPUT, OPTGROUP, OPTION, SELECT, TEXTAREA
Signification	Désactive l'élément qui ne peut plus recevoir le *focus*, est ignoré dans l'exploration par tabulation et ne peut plus être validé pour envoi avec les saisies du formulaire.
Exemple	`<INPUT type="radio" name="sexe" value="fille disabled"> Fille`
Unité ou type	**Description**
Mot clé	Attribut booléen.

enctype

Dans l'élément	FORM
Signification	Type du contenu envoyé au serveur lorsque l'attribut method vaut post.
Exemple	`<FORM action="http://www.msrvr.fr/cgi/handle" enctype="multipart/form-data" method="post">`
Unité ou type	**Description**
Chaîne de caractères	Type MIME (valeur par défaut : application/x-www-form-urlencoded).

face 

Dans les éléments	BASEFONT, FONT
Signification	Liste de noms de polices de caractères séparées par des virgules.
Exemple	`<FONT face="arial, algerian, courier">`
Unité ou type	**Description**
Chaîne de caractères	Noms exacts de polices de caractères.
Commentaires	L'emploi des éléments BASEFONT et FONT est déconseillé par le W3C.

for

Dans l'élément	LABEL
Signification	Associe l'étiquette ainsi définie à un contrôle ayant la même étiquette définie par son attribut id.
Exemple	`<LABEL for="moncontrole">`
Unité ou type	**Description**
Chaîne de caractères	Nom unique défini dans le document HTML par l'attribut id pour le contrôle auquel il est fait référence.

frame

Dans l'élément	TABLE
Signification	Définit la ou les bordures du tableau qui seront visibles lorsque l'attribut border a une valeur différente de zéro.
Exemple	`<TABLE frame="hsides" border=5">`
Unité ou type	**Description**
Mots clés	above : le bord supérieur. below : le bord inférieur. border : les quatre côtés. box : les quatre côtés. hsides : les bords horizontaux.

	`lhs` : le côté gauche seulement. `rhs` : le côté droit seulement. `void` : aucun. `vsides`: les bords verticaux.
Commentaires	La Figure 2.7 illustre les effets de cet attribut.

Figure 2.7 : Effets de l'attribut frame.

frameborder

Dans les éléments	`FRAME`, `IFRAME`
Signification	Indique si la séparation entre les cadres sera ou non visible.
Exemple	`<FRAME src="moncadre.htm" frameborder=0>`
Unité ou type	**Description**
Nombre sans dimension	`0` : séparation invisible. `1` : séparation visible (valeur par défaut).

headers

Dans les éléments	TD, TH
Signification	Utilisé par les synthétiseurs de parole et autres logiciels de traitement non visuel des documents HTML pour fournir des informations complémentaires sur le contenu de certaines cellules d'un tableau.

Exemple	`<TR>`
	`<TH id="t1">Nom</TH>`
	`<TH id="t2">Prénom</TH>`
	`<TH id="t3">Adresse e-mail</TH>`
	`<TR>`
	`<TD headers="t1">Dupont</TD>`
	`<TD headers="t2">Jules</TD>`
	`<TD headers="t3">jdupont@msrvr.fr </TD>`

Unité ou type	**Description**
Identificateurs	Liste d'identificateurs de cellules (attribut id).
Commentaires	Ne semble pas actuellement implémenté.
Voir aussi	scope

height

Dans l'élément	IFRAME
Signification	Hauteur du cadre en ligne.
Exemple	`<IFRAME src="bloc.htm" width="400"` `height="200">`
Unité ou type	**Description**
Nombre de pixels	Hauteur du cadre en valeur absolue.
Pourcentage	Hauteur du cadre en valeur relative, par rapport à la hauteur de la fenêtre du navigateur.
Commentaires	En l'absence de cet attribut, la valeur par défaut dépend du navigateur.

`height`

Dans les éléments	`APPLET`, `IMG`, `OBJECT`
Signification	Hauteur occupée par l'élément dans la fenêtre du navigateur. Elle peut être différente de sa hauteur réelle. Si elle est omise, c'est la véritable hauteur de l'objet qui sera prise en compte.
Exemple	<IMG src="medor.jpg" height=200 width=100>
Unité ou type	**Description**
Nombre de pixels	Hauteur d'affichage de l'élément en valeur absolue.
Pourcentage	Hauteur d'affichage de l'élément en valeur relative, par rapport à la hauteur de la fenêtre du navigateur.
Commentaires	Si un seul des deux attributs `height` et `width` est spécifié, les dimensions de l'élément sont modifiées, mais en gardant les proportions originales. Si les deux sont spécifiés, mais ne sont pas dans le même rapport, il y a anamorphose (déformation). La Figure 2.8 illustre cet effet.

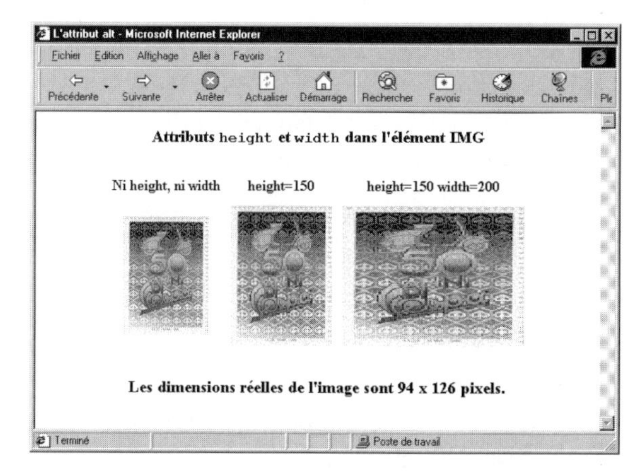

Figure 2.8 : Influence des attributs height et width sur l'aspect d'une image.

height 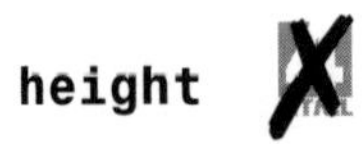

Dans les éléments	TD, TH
Signification	Hauteur de la cellule.
Exemple	`<TD height=25>`
Unité ou type	**Description**
Nombre de pixels	Hauteur de la cellule en valeur absolue.
Commentaires	L'usage de cet attribut est déconseillé par le W3C.

href

Dans les éléments	A, AREA, LINK
Signification	Adresse d'une ressource Web.
Exemple	`<A href="http://www.multimania.com/amgr/amgr.htm">`
Unité ou type	**Description**
URL	Ressource quelconque du Web (généralement http://, ftp:// ou mailto:)
Commentaires	Si l'utilisateur clique sur le texte contenu dans l'élément, la ressource référencée est chargée. Dans le cas de mailto:, le *mailer* par défaut est lancé avec l'adresse du destinataire initialisée telle qu'elle était définie dans l'URL.

href

Dans l'élément	BASE
Signification	Base de référencement pour les URL relatives du document. **Obligatoire.**
Exemple	`<BASE href="http://www.multimania.com/amgr/">`
Unité ou type	**Description**
URL	URL absolue pointant sur le répertoire où sont installés les fichiers HTML de la présentation concernée.

hreflang

Dans les éléments	A, LINK
Signification	Indique la langue utilisée par la ressource pointée par l'attribut href.
Exemple	`<A href="http://www.multimania.com/amgr/" hreflang="frn">`
Unité ou type	**Description**
Chaîne de caractères	Nom correspondant aux spécifications du document RFC1766.
Commentaires	Curiosité : outre frn pour le français, il existe fra pour le "franco-provençal", frc pour le "français cajun" et fre pour le "français guyanais".

hspace 

Dans les éléments	APPLET, IMG, OBJECT
Signification	Spécifie l'espace horizontal à ménager entre les bords verticaux de l'objet et son environnement.
Exemple	`<IMG src="timbre1.gif" hspace=25>`
Unité ou type	**Description**
Nombre de pixels	Valeur absolue de l'espace, exprimée en pixels.
Commentaires	L'utilisation de cet attribut est déconseillé par le W3C.

http-equiv

Dans l'élément	META
Signification	En-tête de réponse HTTP.
Exemple	`<META http-equiv="refresh" content="3; url=http://www.multimania.com/motobec/accueil4.htm">`
Unité ou type	**Description**
Mot clé	Commande envoyée au serveur pour exécuter une action particulière.
Commentaires	Dans l'exemple ci-dessus, le document référencé remplacera le document HTML courant après une attente de trois secondes.

ismap

Dans l'élément	`IMG`
Signification	L'image sert de base pour une image réactive *server-side*.
Exemple	`<IMG src="plan.gif" ismap>`
Unité ou type	**Description**
Mot clé	Attribut booléen.
Commentaires	Les images réactives de type *server-side* sont une survivance des premiers temps du Web. Actuellement, on emploie presque toujours des images réactives de type *client-side* qui ne nécessitent pas de recours au serveur, abrègent donc leur traitement et diminuent la charge de l'Internet.

label

Dans l'élément	`OPTION`
Signification	Permet de spécifier une étiquette différente du contenu d'un élément `OPTION`.
Exemple	`<OPTION label="section-3" value="_3_">Troisième section</OPTION>`
Unité ou type	**Description**
Chaîne de caractères	Identificateur auxiliaire, généralement raccourci.

label

Dans l'élément	`OPTGROUP`
Signification	Spécifie une étiquette pour un groupe d'éléments `OPTION`.
Exemple	`<OPTGROUP label="Chapitre 4">`
Unité ou type	**Description**
Chaîne de caractères	Identificateur d'un groupe d'options. **Obligatoire** dans cet élément.

language 

Dans l'élément	SCRIPT
Signification	Spécifie le langage de programmation utilisé pour le script référencé.
Exemple	`<SCRIPT language="JavaScript">`
Unité ou type	**Description**
Chaîne de caractères	Nom du langage de programmation.
Commentaires	Déconseillé par le W3C au profit de l'attribut plus général type.

link 

Dans l'élément	BODY
Signification	Précise la couleur dans laquelle seront affichés les liens non visités du document.
Exemple	`<BODY link="magenta">`
Unité ou type	**Description**
Nom de couleur	Nom conventionnel (voir Annexe D).
Triplet RGB	Suite de trois valeurs hexadécimales comprises entre 00 et FF précédées du caractère dièse (#).
Commentaires	D'un point de vue plus général, il est déconseillé de modifier la couleur des liens, au risque d'égarer le visiteur. Sauf si on a choisi pour la page des couleurs qui pourraient prêter à confusion avec la couleur par défaut des liens.

longdesc

Dans l'élément	IMG
Signification	Description de l'image plus verbeuse que celle que procure l'attribut alt.
Exemple	`<IMG src="maison.gif" alt="Ma maison" longdesc="maison.htm">`

Unité ou type	Description
URL	URL pointant vers un texte descriptif.
Commentaires	Ne semble pas être actuellement implémenté.

longdesc

Dans les éléments	FRAME, IFRAME
Signification	Description du cadre plus verbeuse que celle que procure l'attribut title.
Exemple	<IFRAME src="vespa.htm" width="300" height="270" hspace=50 longdesc="blockq.htm" scrolling="auto" frameborder="0" align=middle>
Unité ou type	**Description**
URL	URL pointant vers un texte descriptif.
Commentaires	Ne semble pas être actuellement implémenté.

marginheight

Dans les éléments	FRAME, IFRAME
Signification	Spécifie la valeur de l'espace laissé libre entre les bords horizontaux du cadre et son contenu.
Exemple	<IFRAME src="timbre1.gif" marginheight=20 height=200 width=200>
Unité ou type	**Description**
Nombre de pixels	Valeur absolue de l'espace à ménager (doit être supérieure à 1).
Commentaires	La valeur par défaut n'est pas définie. Elle dépend du navigateur. La Figure 2.9 montre un exemple d'emploi des attributs marginheight et marginwidth.

marginwidth

Dans les éléments	FRAME, IFRAME
Signification	Spécifie la valeur de l'espace laissé libre entre les bords verticaux du cadre et son contenu.
Exemple	`<IFRAME src="timbre1.gif" marginwidth=50 height=200 width=200>`
Unité ou type	**Description**
Nombre de pixels	Valeur absolue de l'espace à ménager (doit supérieur à 1).
Commentaires	La valeur par défaut n'est pas définie. Elle dépend du navigateur.
	La Figure 2.9 montre un exemple d'emploi des attributs marginheight et marginwidth.

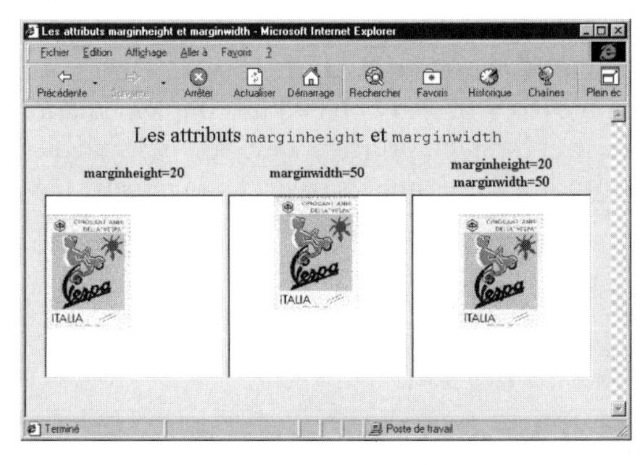

Figure 2.9 : Effet des attributs marginheight et marginwidth.

maxlength

Dans l'élément	INPUT
Signification	Spécifie le nombre maximal de caractères pouvant être saisis lorsque l'attribut type a la valeur text ou password.
Exemple	`<INPUT type="text" value="Nom" name="nom" maxlength=25>`
Unité ou type	**Description**
Nombre de caractères	Selon le type de valeur à saisir.

Commentaires	Ne pas confondre cet attribut avec l'attribut `size` qui indique la taille de la boîte de saisie et non la taille de la chaîne de caractères qu'on peut y saisir.

media

Dans l'élément	`STYLE`
Signification	Spécifie le type de média auquel est destiné la feuille de style.
Exemple	`<STYLE type="text/css" media="print">`
Unité ou type	**Description**
Mots clés	Simple mot clé ou liste de mots clés conventionnels (`screen` par défaut).
Commentaires	La liste comprend actuellement les mots clés suivants : `all`, `aural`, `braille`, `handheld`, `print`, `projection`, `screen` (valeur par défaut), `tty`, `tv`. Cet attribut ne semble pas avoir fait l'objet d'une implémentation poussée. Il est, en principe, destiné à des systèmes de restitution autres que les navigateurs actuels.

media

Dans l'élément	`LINK`
Signification	Spécifie le type de média vers lequel sera *interprété* le document HTML référencé.
Exemple	`<LINK rel="Index" href="../index.html" media="print">`
Unité ou type	**Description**
Mot clé	Simple mot clé ou liste de mots clés conventionnels (`screen` par défaut).
Commentaires	La liste comprend actuellement les mots clés suivants : `all`, `aural`, `braille`, `handheld`, `print`, `projection`, `screen` (valeur par défaut), `tty`, `tv`. Cet attribut ne semble pas être encore implémenté. Il est destiné à des systèmes de restitution autres que les navigateurs actuels.

method

Dans l'élément	FORM
Signification	Méthode de transmission des valeurs saisies par l'utilisateur.
Exemple	`<FORM action="http://www.msrvr.fr/cgi-bin/traite.pl" method=post>`
Unité ou type	**Description**
Mot clé	Soit get (valeur par défaut), soit post.
Commentaires	Si l'attribut action indique un protocole mailto:, la valeur de l'attribut method sera obligatoirement post.

multiple

Dans l'élément	SELECT
Signification	Autorise des sélections multiples dans la liste des choix proposés.
Exemple	`<SELECT multiple size="4" name ="fruits">`
Unité ou type	**Description**
Mot clé	Attribut booléen.

name 

Dans l'élément	APPLET
Signification	Attribue un nom à l'instance de l'applet.
Exemple	`<APPLET name=premier" code="AudioItem" width="15" height="15">`
Unité ou type	**Description**
Chaîne de caractères	Identificateur.
Commentaires	De cette façon, plusieurs applets situées dans un même document HTML peuvent communiquer entre elles. Rappelons que l'usage de l'élément APPLET est maintenant déconseillé.

name

Dans les éléments	BUTTON, INPUT, SELECT, TEXTAREA
Signification	Nomme un contrôle d'un formulaire.
Exemple	`<BUTTON name="Envoyez" value="envoi" type="submit">`
Unité ou type	**Description**
Chaîne de caractères	Identificateur.
Commentaires	Bien que la présence de cet attribut ne soit pas obligatoire sur le plan de la syntaxe, il faut le mentionner et lui donner une valeur si on veut pouvoir identifier chacune des valeurs envoyées par le formulaire.

name

Dans les éléments	FRAME, IFRAME
Signification	Assigne un nom au cadre ou à la fenêtre.
Exemple	`<IFRAME src="machin.htm" height=200 width=200 name="truc">`
Unité ou type	**Description**
Chaîne de caractères	Identificateur.
Commentaires	Le cadre ou la fenêtre ainsi identifiés peuvent être désignés comme destination dans un appel de lien avec l'attribut `target` reprenant ce nom.

name

Dans l'élément	A
Signification	Définition d'un ancrage, c'est-à-dire d'un identificateur de repérage dans le document HTML.
Exemple	`<A name="fonctionnement">`
Unité ou type	**Description**
Chaîne de caractères	Identificateur qui doit être unique dans le document.

Commentaires	Qu'il soit défini à l'aide de l'attribut name ou à l'aide de l'attribut id, un ancrage fait partie de la même classe d'objets à laquelle s'applique cette règle d'unicité. Rappelons qu'il ne doit pas y avoir, *à cet endroit*, de caractère dièse (#) devant le nom.

name

Dans l'élément	OBJECT
Signification	Attribue un nom à l'objet lorsqu'il est inclus dans un formulaire et utilisé comme contrôle.
Exemple	`<OBJECT data="Terre.gif" type="image/gif" name="terre">`
Unité ou type	**Description**
Chaîne de caractères	Identificateur unique dans le document.
Commentaires	Bien que la présence de cet attribut ne soit pas obligatoire sur le plan de la syntaxe, il faut le mentionner et lui donner une valeur si on veut pouvoir identifier chacune des valeurs envoyées par le formulaire.

name

Dans l'élément	MAP
Signification	Assigne un nom au découpage de l'image en zones sensibles. **Obligatoire.**
Exemple	`<MAP name="mapomme">`
Unité ou type	**Description**
Chaîne de caractères	Identificateur unique dans le document.
Commentaires	Le nom ainsi assigné devra figurer, précédé du caractère dièse (#), comme valeur de l'attribut usemap dans l'élément IMG ou OBJECT définissant l'image découpée en zones sensibles.

name

Dans l'élément	PARAM
Signification	Nom d'un argument à transmettre à une applet chargée par un élément APPLET ou OBJECT.
Exemple	`<PARAM name="hauteur" value="40" valuetype="data">`
Unité ou type	**Description**
Chaîne de caractères	Identificateur.
Commentaires	Chaque élément PARAM comprend **obligatoirement** un couple d'attributs name=value.

nohref

Dans l'élément	AREA
Signification	Aucun lien n'est associé à la zone sensible décrite dans l'élément.
Exemple	`<AREA nohref alt="Rien" shape="circle" coords="214,120,57">`
Unité ou type	**Description**
Mot clé	Attribut booléen.
Commentaires	Il est, en général, préférable d'assigner aux zones sensibles non utilisées une page affichant un message d'erreur plutôt que de laisser l'utilisateur cliquer sur une zone et attendre en vain que quelque chose se produise.

noresize

Dans l'élément	FRAME
Signification	Les dimensions du cadre associé ne peuvent pas être modifiées par l'utilisateur.
Exemple	`<FRAME src="bateau.htm" noresize>`
Unité ou type	**Description**
Mot clé	Attribut booléen.

Commentaires	S'impose lorsque, le plus souvent pour des raisons d'esthétique, l'auteur Web ne veut pas que l'utilisateur bouleverse la géométrie des cadres qu'il a conçue.

noshade

Dans l'élément	HR
Signification	Suppression de l'ombrage d'un filet horizontal.
Exemple	`<HR noshade>`
Unité ou type	**Description**
Mot clé	Attribut booléen.

nowrap

Dans les éléments	TD, TH
Signification	Le texte contenu dans la cellule sera affiché sur une seule ligne quitte à la couper si la largeur de la fenêtre du navigateur est trop petite.
Exemple	`<TD nowrap>`
Unité ou type	**Description**
Mot clé	Attribut booléen.

onblur

Dans les éléments	A, AREA, BUTTON, INPUT, LABEL, SELECT, TEXTAREA
Signification	Evénement survenant lorsqu'un élément perd le focus.
Exemple	`<INPUT name="nom" type="text"` `onblur="controle(this.value)">`
Unité ou type	**Description**
Chaîne de caractères	Appel d'une routine d'un script.

onchange

Dans les éléments	INPUT, SELECT, TEXTAREA
Signification	Evénement survenant lorsqu'un élément perd le focus après que le contenu en a été modifié.
Exemple	`<TEXTAREA name="nom " onchange="affiche('bravo !')">`
Unité ou type	**Description**
Chaîne de caractères	Appel d'une routine d'un script.

onfocus

Dans les éléments	A, AREA, BUTTON, INPUT, LABEL, SELECT, TEXTAREA
Signification	Evénement survenant lorsqu'un élément gagne le focus, soit par le fait du pointeur de la souris, soit par un balayage par tabulation (attribut `tabindex`).
Exemple	`<INPUT type="text" onfocus="alert('On y est !')" value="present" name="test">`
Unité ou type	**Description**
Chaîne de caractères	Appel d'une routine d'un script.

onload

Dans les éléments	BODY, FRAMESET
Signification	Evénement qui survient lorsque le contenu de la fenêtre ou du cadre a été entièrement chargé.
Exemple	`<BODY onload="initialise()">`
Unité ou type	**Description**
Chaîne de caractères	Appel d'une routine d'un script.

onreset

Dans l'élément	FORM
Signification	Evénement survenant lorsque l'utilisateur clique sur le bouton RESET d'un formulaire.
Exemple	`<FORM action="http://www.msrvr.fr/cgi-bin/action.pl" onreset="alert('Vous pouvez recommencer.')">`
Unité ou type	**Description**
Chaîne de caractères	Appel d'une routine d'un script.

onselect

Dans les éléments	INPUT, TEXTAREA
Signification	Evénement survenant lorsque l'utilisateur sélectionne tout ou partie du texte dans une zone de texte (éléments INPUT ou TEXTAREA).
Exemple	`<INPUT type="text" name="nombre" value=0 onselect="alert('Attention à ce que vous allez faire !')">`
Unité ou type	**Description**
Chaîne de caractères	Appel d'une routine d'un script.

onsubmit

Dans l'élément	FORM
Signification	Evénement survenant lorsque l'utilisateur clique sur le bouton SUBMIT d'un formulaire.
Exemple	`<FORM action="http://www.msrvr.fr/cgi-bin/action.pl" onsubmit="alert('Bravo !')">`
Unité ou type	**Description**
Chaîne de caractères	Appel d'une routine d'un script.

onunload

Dans les éléments	BODY, FRAMESET
Signification	Evénement qui survient lorsque le contenu de la fenêtre ou du cadre a été remplacé par un autre contenu.
Exemple	`<BODY onunload="alert('Au revoir !')">`
Unité ou type	**Description**
Chaîne de caractères	Appel d'une routine d'un script.

profile

Dans l'élément	HEAD
Signification	Spécifie l'adresse d'un ou de plusieurs *meta data profiles*.
Exemple	`<HEAD profile="http://www.msrvr.fr/profiles/general">`
Unité ou type	**Description**
URL	URL pointant sur un ou plusieurs *meta data profiles*.
Commentaires	Un *meta data profile* est une collection d'éléments META exploités par les outils de gestion du Web et les moteurs de recherche. Des travaux sont actuellement en cours au W3C pour définir un langage adapté : RDF (*Resource Description Language*).
Voir aussi	scheme

prompt

Dans l'élément	ISINDEX
Signification	Invite de recherche
Exemple	`<ISINDEX prompt="Tapez le mot clé : ">`
Unité ou type	**Description**
Chaîne de caractères	Texte d'invite.
Commentaires	L'emploi de l'élément ISINDEX est déconseillé par le W3C qui suggère d'utiliser en ses lieu et place un élément INPUT de formulaire.

readonly

Dans les éléments	INPUT, TEXTAREA
Signification	Protection d'une zone de saisie que l'utilisateur ne peut plus modifier. L'élément peut continuer à recevoir le focus, il est pris en compte dans l'exploration par tabulation et peut être validé pour envoi (dans le cas d'un formulaire).
Exemple	`<INPUT type="text" name="nom" readonly>`
Unité ou type	**Description**
Mot clé	Attribut booléen.
Commentaires	Il est toujours possible de modifier le contenu d'un élément doté de cet attribut au moyen d'un script.

rel

Dans les éléments	A, LINK
Signification	Décrit la relation directe (vers l'avant) existant entre le présent document et le document référencé par l'attribut href.
Exemple	`<LINK rel="prev" href="chapitre1.htm">` `<LINK rel="next" href="chapitre2.htm">`
Unité ou type	**Description**
Mot clé	Un ou plusieurs des suivants : Alternate, Stylesheet, Start, Next, Prev, Contents, Index, Glossary, Copyright, Chapter, Section, Subsection, Appendix, Help, Bookmark.
Commentaires	Utilisé par les outils de gestion du Web et les moteurs de recherche.

rev

Dans les éléments	A, LINK
Signification	Décrit la relation inverse (vers l'arrière) existant entre le présent document et le document référencé par l'attribut href.

Exemple	`<LINK rev="help" href="glossaire.htm">`
Unité ou type	**Description**
Mot clé	Un ou plusieurs des suivants : `Alternate`, `Stylesheet`, `Start`, `Next`, `Prev`, `Contents`, `Index`, `Glossary`, `Copyright`, `Chapter`, `Section`, `Subsection`, `Appendix`, `Help`, `Bookmark`.
Commentaires	Utilisé par les outils de gestion du Web et les moteurs de recherche.

rows

Dans l'élément	`FRAMESET`
Signification	Liste de valeurs spécifiant le partage en tranches horizontales de la fenêtre du navigateur dans une structure de cadres.
Exemple	`<FRAMESET rows="10 %, 500, *">`
Unité ou type	**Description**
Nombre de pixels	Valeur absolue de la hauteur du cadre.
Pourcentage	Valeur relative de la hauteur du cadre exprimée en fonction de la hauteur de la fenêtre du navigateur.
*	Signifie "ce qui reste disponible dans la fenêtre du navigateur".
Commentaires	`cols` et `rows` sont mutuellement exclusifs dans un même élément `FRAMESET`. L'un des deux est **obligatoire**.

rows

Dans l'élément	`TEXTAREA`
Signification	Précise la hauteur de la zone de saisie en nombre de lignes de texte. **Obligatoire.**
Exemple	`<TEXTAREA rows=8>`
Unité ou type	**Description**
Nombre de colonnes	Valeur absolue de la hauteur du cadre.

Commentaires	Bien que le document de référence du W3C stipule que la présence de cet attribut est obligatoire, en son absence, les navigateurs lui attribuent une valeur par défaut de 1 ou 2.

`rowspan`

Dans les éléments	`TD`, `TH`
Signification	Indique un regroupement de lignes pour agrandir la cellule considérée dans le sens vertical.
Exemple	`<TD rowspan=3>`
Unité ou type	**Description**
Nombre sans dimension	Nombre de lignes.
Commentaires	Des attributs `colspan` et `rowspan` d'un même tableau peuvent se trouver en conflit. Dans ce cas, le résultat dépend du navigateur utilisé. La Figure 2.10 montre un exemple d'emploi de l'attribut `rowspan`.

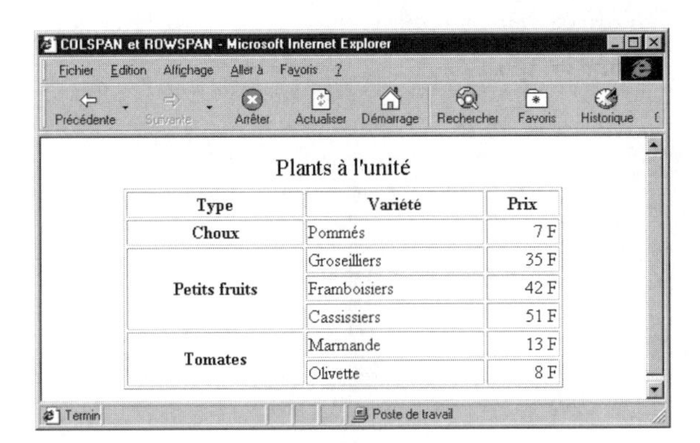

Figure 2.10 : Exemple d'augmentation de la hauteur de cellules avec l'attribut rowspan.

rules

Dans l'élément	`TABLE`
Signification	Indique quelles sont les séparations devant être affichées à l'intérieur d'un tableau.
Unité ou type	**Description**
Mots clés	`none` : aucune séparation. `groups` : séparations entre les groupes de lignes (`THEAD`, `TFOOT`, `TBODY`) et les groupes de colonnes (`COLS`, `COLGROUP`). `cols` : séparations entre les colonnes. `rows` : séparations entre les lignes. `all` : séparation entre toutes les lignes et toutes les colonnes.
Commentaires	Comparable à l'attribut `frame` pour les bordures extérieures du tableau. La Figure 2.11 montre l'effet produit pas l'attribut `rules`.

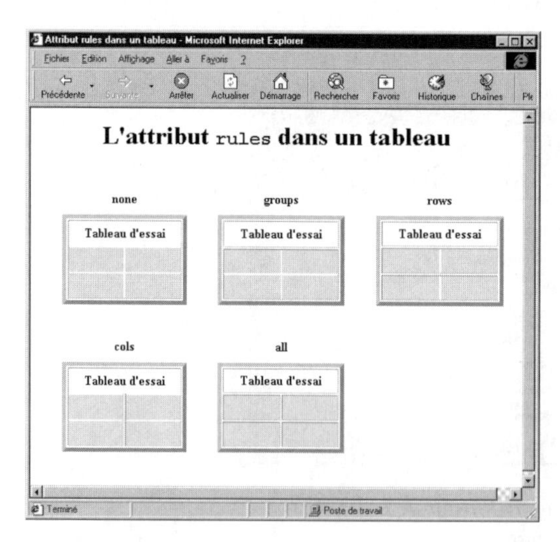

Figure 2.11 : Effets de l'attribut rules.

scheme

Dans l'élément	META
Signification	Désigne un schéma explicatif à appliquer aux *meta data profiles*, qui permettra de lever certaines ambiguïtés dans l'interprétation de certains paramètres.
Exemple	`<META scheme="ISBN" name="identifier" content="0-8230-2355-9">`
Unité ou type	**Description**
Chaîne de caractères	Pas de valeurs prédéfinies.
Commentaires	`profile` et `scheme` sont des attributs en voie de développement.
Voir aussi	profile

scope

Dans les éléments	TD, TH
Signification	Spécifie les cellules de données auxquelles s'applique la cellule d'en-tête courante. Peut être utilisé à la place de l'attribut `headers` pour les tableaux simples.
Exemple	`<TH scope="col">Nom</TH>`
Unité ou type	**Description**
Mot clé	`row` : le reste de la ligne où apparaît scope `col` : le reste de la colonne où apparaît scope `rowgroup` : le reste du groupe de lignes où se trouve scope. `colgroup` : le reste du groupe de colonnes où se trouve scope.
Commentaires	Destiné aux outils de restitution non visuels.
Voir aussi	headers

scrolling

Dans les éléments	FRAME, IFRAME
Signification	Contrôle le défilement du contenu du cadre ou de la fenêtre en affichant ou non les barres de défilement.
Exemple	`<FRAME src="presenta.htm" scrolling="no">`
Unité ou type	**Description**
Mot clé	auto : selon les besoins. yes : systématiquement. no : jamais.
Commentaires	L'utilisation de no dans une fenêtre trop petite empêchera l'utilisateur de voir la totalité du contenu de cette fenêtre.

selected

Dans l'élément	OPTION
Signification	Présélection d'une option dans une liste de choix possibles.
Exemple	`<OPTION selected value="Orange"> Orange</OPTION>`
Unité ou type	**Description**
Mot clé	Attribut booléen.
Commentaires	Plusieurs éléments OPTION d'un même élément SELECT peuvent avoir cet attribut.

shape

Dans les éléments	A, AREA
Signification	Définit la forme d'une zone sensible dans une image réactive.
Exemple	`<AREA href="modem.htm" shape="circle" coords="120, 200, 55">`

Unité ou type	Description
Mot clé	rect : rectangle. circle : cercle. poly : polygone.
Commentaires	Il a existé une forme point, peu réaliste, maintenant disparue.

size 

Dans l'élément	HR
Signification	Définit l'épaisseur du filet horizontal.
Exemple	<HR size=5>
Unité ou type	**Description**
Nombre de pixels	Epaisseur du filet en valeur absolue.
Commentaires	Tous les attributs de l'élément HR sont maintenant déconseillés.

size 

Dans l'élément	FONT
Signification	Définit la taille de la police de caractères.
Exemple	<FONT size=5>
Unité ou type	**Description**
Chiffre non signé	Taille de la police en unités arbitraires allant de 1 à 7 (par défaut, la valeur 3 est utilisée).
Chiffre signé	Variation de la taille de la police en fonction de la taille courante. Le résultat de l'addition ou de la soustraction doit être compris entre 1 et 7.
Commentaires	L'usage de l'élément FONT est déconseillé par le W3C. La Figure 2.12 montre les différentes tailles de caractères possibles.

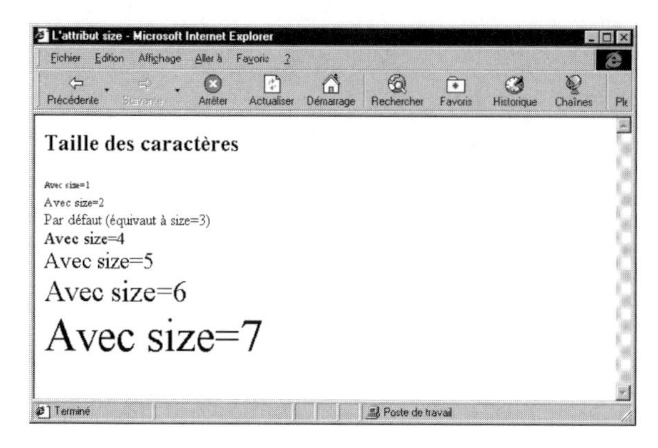

Figure 2.12 : Différentes tailles de caractères réalisables.

size

Dans l'élément	INPUT
Signification	Définit la largeur du contrôle pour certains d'entre eux. Sans action pour les autres.
Exemple	`<HR size=5>`
Unité ou type	**Description**
Nombre de caractères	Pour les contrôles de type `text`, `file` ou `password`.
Commentaires	Pour les contrôles de type `button`, `reset` et `submit`, la largeur dépend du texte affiché (attribut `value`). La largeur des contrôles de type `checkbox` et `radio` est fixe. Pour `hidden`, la question ne se pose évidemment pas !

size

Dans l'élément	BASEFONT
Signification	Définit la taille de la police courante par défaut pour l'ensemble du document.
Exemple	`<BASEFONT size=4>`
Unité ou type	**Description**
Nombre arbitraire	1 indique la plus petite taille ; 7, la plus grande.
Commentaires	L'usage de l'élément `BASEFONT` est déconseillé par le W3C.

size

Dans l'élément	SELECT
Signification	Définit le nombre de choix offerts qui seront visibles dans la boîte à liste déroulante.
Exemple	<SELECT size=8 name="musicos">
Unité ou type	**Description**
Nombre sans dimension	Nombre de lignes de texte définissant la hauteur de la boîte à liste.
Commentaires	Si le nombre de choix proposés est supérieur à la valeur de size, une barre de défilement apparaît à droite de la fenêtre. La Figure 2.13 montre deux exemples d'utilisation de cet attribut.

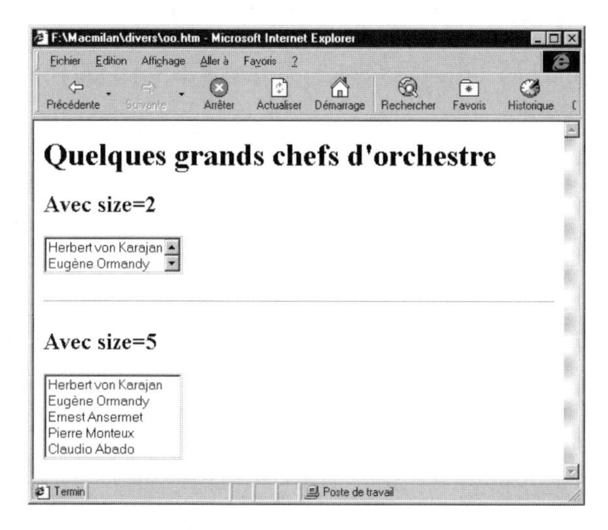

Figure 2.13 : Deux exemples d'utilisation de l'attribut size dans un élément SELECT.

span

Dans les éléments	COL, COLGROUP
Signification	Indique le nombre de colonnes qui seront regroupées par COL.
Exemple	<COL span=8>

Unité ou type	Description
Nombre sans dimension	Nombre de colonnes de tableau.

src

Dans les éléments	FRAME, IFRAME
Signification	Indique l'adresse du document HTML à charger en premier.
Exemple	`<FRAME src="naviga.htm">`
Unité ou type	**Description**
URL	URL pointant vers un document HTML.
Commentaires	Lorsque cet attribut est omis, Internet Explorer laisse le contenu du cadre vierge, alors que Netscape Navigator affiche la liste des fichiers contenus dans le répertoire courant.

src

Dans l'élément	INPUT
Signification	Lorsque l'attribut type vaut image, indique l'adresse de l'image à charger.
Exemple	`<INPUT type="image" name="photo" src="images/chat.jpg" >`
Unité ou type	**Description**
URL	URL pointant vers le fichier GIF, PNG ou JPEG contenant l'image.
Commentaires	Les coordonnées du point de l'image où a cliqué l'utilisateur sont envoyées en même temps que les autres données du formulaire.
Voir aussi	type lorsqu'il prend la valeur image.

src

Dans l'élément	SCRIPT
Signification	Indique l'adresse d'un script externe.
Exemple	`<SCRIPT src="calendar.js" type="text/javascript">`
Unité ou type	**Description**
URL	URL pointant vers un fichier contenant le script à incorporer.
Commentaires	Ce fichier est généralement sur le même serveur que le document HTML qui le charge, mais ce n'est pas une obligation. C'est seulement une question de bon sens.
Voir aussi	type, http-equiv

standby

Dans l'élément	OBJECT
Signification	Message qui sera affiché pendant que l'objet se charge.
Exemple	`<OBJECT classid="http://www.msrvr.fr/vespa" standby="La présentation Vespa se charge">`
Unité ou type	**Description**
Chaîne de caractères	Texte de message d'attente.
Commentaires	Pour faire prendre patience à l'utilisateur. Certaines applets ou animations, de grande taille, peuvent prendre un temps considérable à se charger et il faut que l'utilisateur n'ait pas l'impression qu'il vient de se produire une coupure de ligne ou une panne du serveur.

start 

Dans l'élément	OL
Signification	Indique la valeur initiale de la numérotation des articles d'une liste ordonnée.
Exemple	`<OL start=4>`

Unité ou type	Description
Nombre sans dimension	Départ de la numérotation. Son interprétation dépend de la valeur de l'attribut `type`. Par exemple, si ce dernier vaut `A`, dans l'exemple ci-dessus, le premier article sera "numéroté" `D`.
Commentaires	L'usage de cet attribut est déconseillé par le W3C... qui n'a rien d'autre à proposer pour le moment. Alors... La Figure 2.14 présente un exemple d'utilisation de cet attribut avec la commande `<OL start=8 type=A>`.

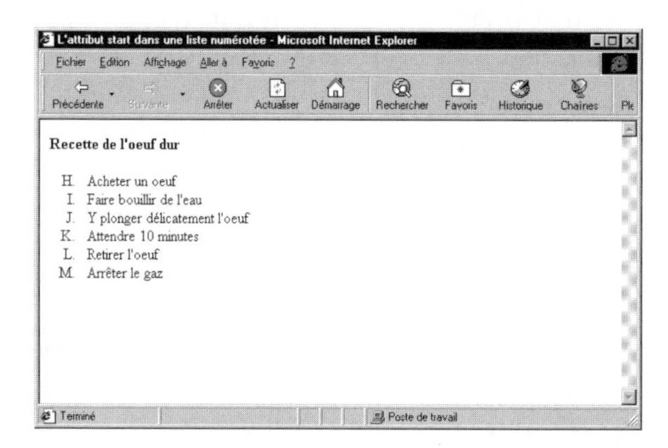

Figure 2.14 : Exemple d'utilisation de l'attribut start dans une liste numérotée.

summary

Dans l'élément	`TABLE`
Signification	Fournit un résumé du contenu du tableau.
Exemple	`<TABLE summary="Tableau des ventes au 1er trimestre 1998">`
Unité ou type	**Description**
Chaîne de caractères	Texte du résumé.
Commentaires	Destiné en principe à la restitution du document HTML par un synthétiseur de parole ou un traducteur en braille.

tabindex

Dans les éléments	A, AREA, BUTTON, INPUT, OBJECT, SELECT, TEXTAREA
Signification	Position de l'élément dans l'ordre d'exploration par tabulation.
Exemple	<A href="http://www.msrvr.fr/index.htm" tabindex=4>
Unité ou type	**Description**
Nombre sans dimension	Numéro d'ordre compris entre 1 et *n* (où *n* est le nombre d'occurrences de l'attribut tabindex dans le présent document HTML).
Commentaires	A chaque appui de l'utilisateur sur la touche <Tab>, le focus passe aux éléments dotés de l'attribut tabindex, dans l'ordre croissant de la numérotation. Il peut y avoir des trous dans cette numérotation.

target

Dans les éléments	A, AREA, BASE, FORM, LINK
Signification	Indique le nom du cadre dans lequel doit être chargé le document référencé.
Exemple	<A href="http://www.msrvr.fr/index.htm" target="guide">
Unité ou type	**Description**
Chaîne de caractères	Nom d'un cadre défini par un attribut name dans un élément FRAME ou IFRAME.
Commentaires	Quatre noms "réservés" ont une signification particulière : _blank : le document sera chargé dans une nouvelle fenêtre, créée pour la circonstance. _self : le document sera chargé dans la fenêtre même où se trouve l'appel de lien. _parent : le document sera chargé dans la fenêtre mère de la fenêtre où se trouve l'appel de lien. _top : le document sera chargé dans la fenêtre où se trouvait définie la structure de cadre, ce qui la détruit automatiquement.

text 

Dans l'élément	BODY
Signification	Indique la couleur d'affichage par défaut du texte dans la page.
Exemple	`<BODY text="red">`
Unité ou type	**Description**
Nom de couleur	Nom conventionnel (voir Annexe D).
Triplet RGB	Suite de trois valeurs hexadécimales comprises entre 00 et FF précédées du caractère dièse (#).
Commentaires	L'usage de cet attribut est déconseillé par le W3C qui recommande d'utiliser la règle de style `color`.

type

Dans les éléments	A, LINK, OBJECT
Signification	Indique le type de contenu du document référencé.
Exemple	`<A href="1.gif" type="image/gif"> Promenade de voitures anciennes</A>`
Unité ou type	**Description**
Chaîne de caractères	Type MIME.
Commentaires	L'expérience montre que pour des documents courants (de type `txt`, par exemple) ou des images GIF ou JPEG, cet attribut est parfaitement inutile, les navigateurs se débrouillant très bien d'eux-mêmes. Quant à des objets de type non affichable comme les fichiers ZIP, que l'on indique ou non `type="application/zip"`, cela reviendra au même : le navigateur demandera ce qu'il doit faire du fichier et proposera plusieurs options, parmi lesquelles l'enregistrer sur disque, ce qui est conforme au bon sens.

type

Dans l'élément	PARAM
Signification	Indique le type de la ressource spécifiée par l'attribut value lorsque l'attribut valuetype vaut ref.
Exemple	`<PARAM name="rallye" value="./images/auto.gif"> valuetype="ref">`
Unité ou type	**Description**
Chaîne de caractères	Type MIME.
Commentaires	La nécessité d'utiliser cet attribut dépend de l'application qui va se servir des données fournies par PARAM. Dans le doute, mieux vaut donc renseigner type.

type

Dans l'élément	SCRIPT
Signification	Indique le langage utilisé dans le script. **Obligatoire.**
Exemple	`<SCRIPT type="text/javascript">`
Unité ou type	**Description**
Chaîne de caractères	Type MIME de langage de script (JavaScript, Visual Basic, etc.).
Commentaires	Les valeurs les plus courantes sont JavaScript et jscript (implémentation Microsoft de JavaScript).
Voir aussi	src

type

Dans l'élément	STYLE
Signification	Indique le langage utilisé par une feuille de style. **Obligatoire.**
Exemple	`<STYLE type="text/css">`
Unité ou type	**Description**
Chaîne de caractères	Type MIME de langage de style.
Commentaires	Actuellement, seul text/css est — dans une certaine mesure — reconnu.

type

Dans l'élément	INPUT
Signification	Précise le type de contrôle dans le formulaire.
Exemple	`<INPUT type="radio" name="choix" value="pomme">`
Unité ou type	**Description**
Mot clé	button : bouton sur lequel est affichée la chaîne de caractères affectée à l'attribut value. checkbox : case à cocher. file : envoi d'un fichier. Le W3C indique que le nom du fichier peut être indiqué par l'attribut value, mais ni Internet Explorer ni Netscape Navigator ne respectent cette recommandation. La boîte de saisie est donc affichée vide, mais flanquée d'un bouton Parcourir sur lequel doit cliquer l'utilisateur. Une boîte de sélection de fichier apparaît, permettant de choisir le nom du fichier à envoyer qui s'affiche alors dans la boîte de saisie. hidden : contrôle qui n'est pas affiché. Utilisé pour envoyer certaines identifications ou certains repères que l'utilisateur n'a pas besoin de connaître. Un contrôle caché ne réagit pas aux événements intrinsèques (puisqu'il est absent de l'affichage). image : bouton dont le texte est remplacé par l'image qui est désignée par l'attribut src. Sert à appeler une routine de script. password : mot de passe. Ce que l'utilisateur tapera sera affiché sous forme d'astérisques, mais sera transmis en clair au serveur. radio : bouton radio. reset : bouton de réinitialisation du formulaire sur lequel est affichée la chaîne de caractères affectée à l'attribut value. Par défaut, c'est Reset avec Netscape Navigator (version française !) et Restaurer avec Internet Explorer. submit : bouton d'envoi des données du formulaire (au serveur ou par courrier électronique) sur lequel est affichée la chaîne de caractères affectée à l'attribut value. Par défaut, c'est Submit Query avec Netscape Navigator (version française !) et Soumettre la requête avec Internet Explorer. text : boîte de saisie d'une seule ligne.

Commentaires	Curieusement, un autre contrôle, destiné à permettre la saisie de plusieurs lignes, a droit à un élément pour lui tout seul : `TEXTAREA`. La Figure 2.15 montre un catalogue des différentes variétés de contrôles d'entrée d'un formulaire selon la valeur de l'attribut `type`.
Voir aussi	`src` pour `type=image`.

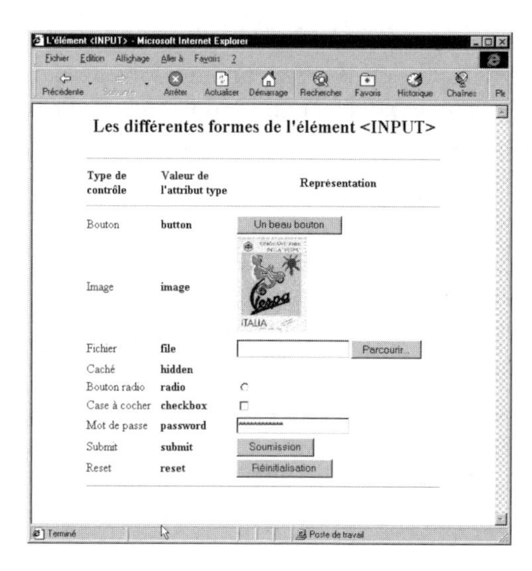

Figure 2.15 : Les différents types de contrôles d'entrée d'un formulaire selon la valeur de l'attribut type.

`type`

Dans l'élément	`BUTTON`
Signification	Déclare le type de bouton créé par ce contrôle.
Exemple	`<BUTTON type="submit">`
Unité ou type	**Description**
Mot clé	`button` : Crée un bouton permettant d'appeler une routine d'un script. `submit` : Crée un bouton de type `submit` (pour envoi des saisies). `reset` : Crée un bouton de type `reset` (pour réinitialisation du formulaire).

Commentaires	Les valeurs `submit` et `reset` créent respectivement un bouton produisant les mêmes effets que ceux que l'on obtient avec l'élément `INPUT` et les attributs `type="submit"` et `type="reset"`.

type 

Dans l'élément	`LI`
Signification	Modifie le type d'affichage de la puce ou du numéro précédant un article de liste contenu dans un des éléments `DIR`, `MENU`, `OL` et `UL`. Rappelons que l'emploi des deux premiers est déconseillé par le W3C.
Exemple	`<LI type="square">`
Unité ou type	**Description**
Mot clé	Différent selon que l'attribut intervient dans une liste ordonnée ou une liste à puces. Voir ci-dessous les rubriques consacrées aux éléments `OL` et `UL`.
Commentaires	La propriété `list-style-type` (CSS) remplace cet attribut.

type 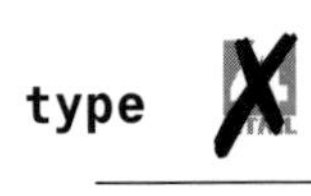

Dans l'élément	`OL`
Signification	Modifie le type d'affichage de la puce ou du numéro précédant un article de liste contenu dans un élément `OL`.
Exemple	`<OL type="A">`
Unité ou type	**Description**
Mot clé	`1` : chiffres arabes : 1, 2, 3... `a` : lettres minuscules : a, b, c... `A` : lettres majuscules : A, B, C... `i` : chiffres romains minuscules : i, ii, iii... `I` : chiffres romains majuscules : I, II, III
Commentaires	La propriété `list-style-type` (CSS) remplace cet attribut. La Figure 2.16 montre les différentes présentations de listes réalisables avec cet attribut.

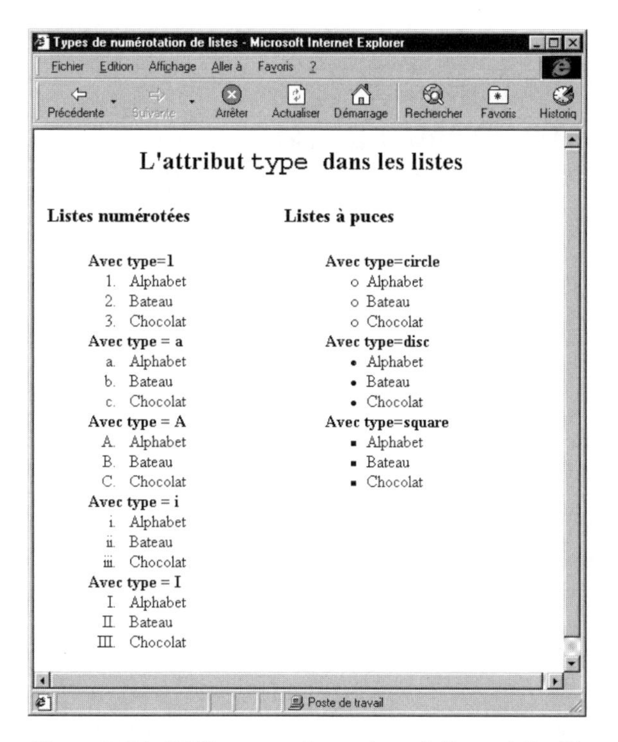

Figure 2.16 : Différentes présentations de listes réalisables avec l'attribut type.

`type` 

Dans l'élément	`UL`
Signification	Modifie le type d'affichage de la puce ou du numéro précédant un article de liste contenu dans un élément `UL`.
Exemple	`<UL type="disc ">`
Unité ou type	**Description**
Mot clé	`circle` : petit cercle vide. `disc` : petit cercle plein (gros point). `square` : petit carré plein.
Commentaires	La propriété `list-style-type` (CSS) remplace cet attribut

usemap

Dans les éléments	IMG, INPUT, OBJECT
Signification	Associe l'élément, considéré comme une image réactive, à la Description des zones sensibles contenue dans des éléments AREA placés dans un élément MAP.
Exemple	<IMG src="monplan.gif" usemap="#macarte"> ... <MAP name="macarte"> <AREA ... <AREA ... <MAP>
Unité ou type	**Description**
Mot clé	Attribut booléen.
Commentaires	Concerne les images réactives de type *client/side.*

valign

Dans les éléments	COL, COLGROUP, TBODY, TD, TFOOT, TH, THEAD, TR
Signification	Spécifie la position verticale du contenu d'une cellule de tableau.
Exemple	<TD valign="middle">Ce texte est centré verticalement dans la cellule</TD>
Unité ou type	**Description**
Mots clés	bottom : haut de la cellule. middle : milieu de la cellule. top : bas de la cellule. baseline : les premières lignes de texte des cellules d'une même ligne comprenant cet attribut seront alignées sur une même horizontale.
Commentaires	L'attribut baseline est assez peu utilisé.
	La Figure 2.17 montre à quoi correspondent les trois valeurs courantes de cet attribut.

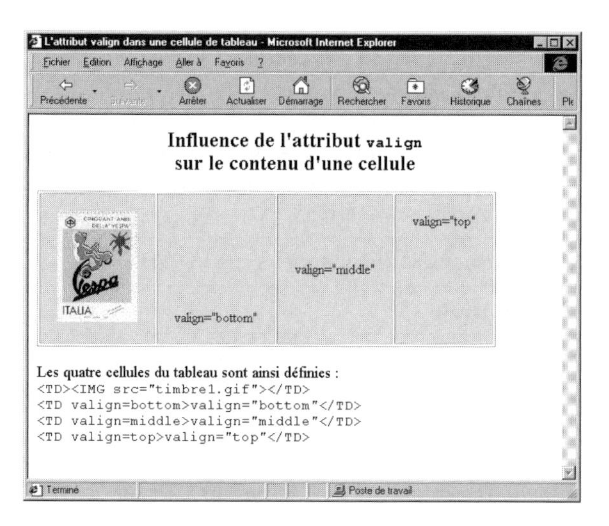

Figure 2.17 : Positionnement du contenu d'une cellule en fonction de la valeur de l'attribut valign.

`value`

Dans l'élément	`OPTION`
Signification	Spécifie la valeur initiale de l'élément `OPTION` (lui-même inclus dans l'élément `SELECT`). Si l'attribut value n'est pas utilisé, la valeur qui sera transmise sera celle qui est incluse dans l'élément `OPTION` (généralement du texte).
Exemple	`<OPTION value="Le champ n'est pas vide" name="toto">Salut</OPTION>` `<OPTION name="titi">Bonjour </OPTION>`
Unité ou type	**Description**
Chaîne de caractères	Valeur à envoyer lorsque l'utilisateur cliquera sur **Submit**.
Commentaires	Dans l'exemple ci-dessus, c'est "Le champ n'est pas vide" qui sera envoyé si l'utilisateur a cliqué sur **Salut**. S'il a cliqué sur **Bonjour**, ce sera "Bonjour".

value

Dans l'élément	PARAM
Signification	Définit la valeur qui sera associée au nom de variable spécifié par l'attribut name pour être transmis à l'objet (ou à l'applet) concerné.
Exemple	`<PARAM name="vitesse" value="110">`
Unité ou type	**Description**
Chaîne de caractères	Valeur numérique, texte ou autre à transmettre à l'objet.
Commentaires	L'interprétation de cet attribut dépend de la valeur donnée à l'attribut valuetype (voir plus bas).

value

Dans l'élément	INPUT
Signification	Spécifie la valeur initiale à donner à un contrôle. Facultatif, sauf lorsque l'attribut type a la valeur radio.
Exemple	`<INPUT value="11" type="text" name="heure" value="12:25">`
Unité ou type	**Description**
Chaîne de caractères	Valeur numérique, texte ou autre selon le type du contrôle.
Commentaires	Lorsque type vaut radio, la valeur donnée à value sera transmise associée au nom commun au groupe de boutons-radio.

value

Dans l'élément	BUTTON
Signification	Spécifie la valeur initiale qui sera assignée au bouton.
Exemple	`<BUTTON name="b1" value="1"> Premier bouton </BUTTON>`
Unité ou type	**Description**
Chaîne de caractères	Valeur numérique ou texte qui sera transmis en même temps que les autres données du formulaire.

Commentaires	Lorsque, dans un élément `INPUT`, l'attribut `type` vaut `reset`, il est inutile de donner une valeur à l'attribut `value`. Par contre, quand il vaut `submit`, cela permet de savoir sur quel bouton d'envoi a cliqué l'utilisateur lorsqu'un formulaire contient plusieurs boutons d'envoi (`submit`).

valuetype

Dans l'élément	`PARAM`
Signification	Indique la signification de l'attribut `value` concernant la donnée dont le nom est spécifié par l'attribut `name`.
Exemple	`<PARAM name="logo" value="images/timbre1.gif"> valuetype="ref">`
Unité ou type	**Description**
Mots clés	`data` : valeur qui sera évaluée et passée telle quelle à l'objet. `object` : identificateur pointant vers un autre objet qui fournira la valeur attendue. `ref` : URL pointant sur la ressource d'initialisation.
Commentaires	C'est `data` (valeur par défaut.) qui est le plus fréquemment utilisée.

version 

Dans l'élément	`HTML`
Signification	Indique quelle version de DTD a été suivie pour l'écriture du document HTML.
Exemple	`<HTML version="4.0">`
Unité ou type	**Description**
Chaîne de caractères	Référence de la DTD utilisée.
Commentaires	Cet attribut doit normalement être remplacé par une déclaration `DOCTYPE` placée sur la toute première ligne du document HTML. Pour HTML 4, c'est : `<!DOCTYPE HTML PUBLIC "-//W3C//DTD HTML 4.0//EN">`

vlink 

Dans l'élément	BODY
Signification	Indique la couleur des liens visités.
Exemple	`<BODY VLINK="green">`
Unité ou type	**Description**
Nom de couleur	Nom conventionnel (voir Annexe D).
Triplet RGB	Suite de trois valeurs hexadécimales comprises entre 00 et FF et précédées du caractère dièse (#).
Commentaires	L'usage de cet attribut est déconseillé par le W3C qui recommande d'utiliser une règle de style faisant intervenir la pseudo-classe A:VISITED. D'un point de vue plus général, il est déconseillé de modifier la couleur des liens, au risque d'égarer le visiteur. Sauf si on a choisi pour le texte présent dans la page des couleurs qui pourraient prêter à confusion avec la couleur par défaut.

vspace

Dans les éléments	APPLET, IMG, OBJECT
Signification	Indique la valeur de l'espace à ménager entre les bords horizontaux de l'objet inséré et son environnement.
Exemple	`<IMG src="gradu.gif" vspace=15 hspace=0>`
Unité ou type	**Description**
Nombre de pixels	Valeur positive ou nulle.
Commentaires	Le sens des décalages dépend de la valeur de l'attribut align (voir Figure 2.18).

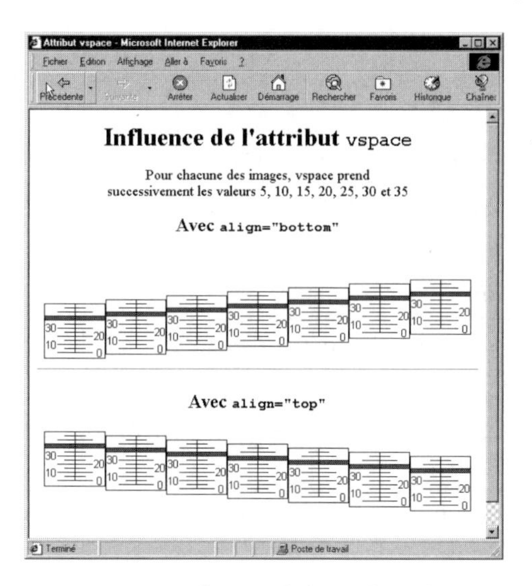

Figure 2.18 : Influence de l'attribut align sur l'effet produit par l'attribut vspace.

`width` 

Dans l'élément	HR
Signification	Spécifie la largeur du filet horizontal.
Exemple	`<HR width="50 %">`
Unité ou type	**Description**
Nombre de pixels	Largeur du filet indépendamment de la largeur de la fenêtre du navigateur.
Pourcentage	Largeur du filet proportionnellement à la largeur de la fenêtre du navigateur.
Commentaires	Par défaut, le filet occupe toute la largeur de la fenêtre (100 %).

width

Dans l'élément	IFRAME
Signification	Spécifie la largeur de la fenêtre créée par l'élément IFRAME.
Exemple	<IFRAME src="quadra.htm" width="50 %" height="70">
Unité ou type	**Description**
Nombre de pixels	Largeur de la fenêtre indépendamment de la largeur du navigateur.
Pourcentage	Largeur de la fenêtre proportionnellement à la largeur du navigateur.
Commentaires	En l'absence de cet attribut, la valeur par défaut dépend du navigateur.

width

Dans les éléments	IMG, OBJECT
Signification	Hauteur occupée par l'élément dans la fenêtre du navigateur. Elle peut être différente de sa hauteur réelle. Si elle est omise, c'est la véritable hauteur de l'objet qui sera prise en compte.
Exemple	<IMG src="medor.jpg" height=200 width=100>
Unité ou type	**Description**
Nombre de pixels	Largeur d'affichage de l'élément en valeur absolue.
Pourcentage	Largeur d'affichage de l'élément en valeur relative, par rapport à la largeur de la fenêtre du navigateur.
Commentaires	Si un seul des deux attributs height et width est spécifié, les dimensions de l'élément sont modifiées, mais en gardant les proportions originales. Si les deux sont spécifiés, mais ne sont pas dans le même rapport, il y a anamorphose (déformation), comme on peut le voir sur la Figure 2.19.

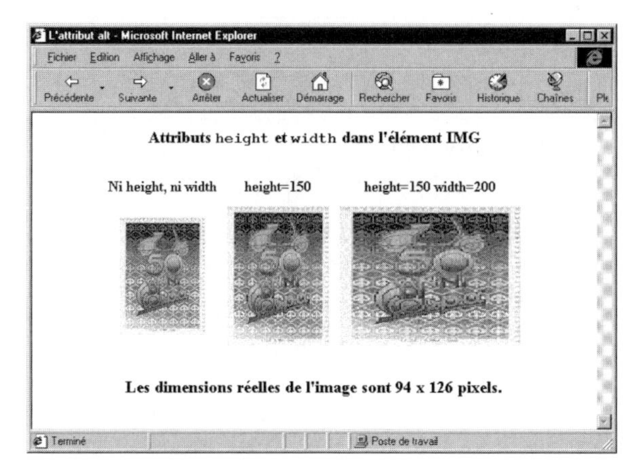

Figure 2.19 : Influence des attributs height et width sur l'aspect d'une image.

width

Dans l'élément	TABLE
Signification	Largeur du tableau dans la fenêtre du navigateur.
Exemple	`<TABLE width=500>`
Unité ou type	**Description**
Nombre de pixels	Largeur réelle d'affichage du tableau.
Pourcentage	Largeur d'affichage du tableau en valeur relative, par rapport à la largeur de la fenêtre du navigateur.
Commentaires	En l'absence de cet attribut, la largeur du tableau est déterminée par la largeur de ses colonnes, par le contenu des cellules.

width 

Dans l'élément	APPLET
Signification	Largeur d'affichage de la fenêtre de l'applet, non comprises les fenêtres et les boîtes de dialogue que l'applet peut créer.
Exemple	`<APPLET code="AudioItem" width="65 %" height=150>`

Unité ou type	Description
Nombre de pixels	Largeur d'affichage de fenêtre de l'applet.
Pourcentage	Largeur d'affichage de la fenêtre de l'applet en valeur relative, par rapport à la largeur de la fenêtre du navigateur.
Commentaires	Rappelons que l'usage de l'élément APPLET est déconseillé par le W3C au profit de l'élément OBJECT.

width

Dans l'élément	COL
Signification	Définit une valeur par défaut pour chacune des colonnes regroupées dans l'élément COL.
Exemple	<COL width=25>
Unité ou type	**Description**
Nombre sans dimension	Nombre de pixels (exemple : width=45)
Pourcentage	Pourcentage de l'espace horizontal disponible (exemple : width="20 %")
Quantité proportionnelle	Répartition de l'espace horizontal restant entre toutes les valeurs de width comprenant un astérisque (*) proportionnellement au coefficient multiplicateur précédant l'astérisque. Ce cas est le plus compliqué, aussi allons-nous donner un exemple plus détaillé (pour simplifier, nous passerons sous silence le cas où le coefficient multiplicateur vaut zéro). Soit les commandes HTML suivantes :

```
<TABLE border="1" width="330">
<COLGROUP span=4 align="center">
<COL width="30"> <!-- Colonne 1 -->
<COL width="3*"> <!-- Colonne 2 -->
<COL width="2*"> <!-- Colonne 3 -->
<COL width="1*"> <!-- Colonne 4 -->
<TR><TD>1<TD>2<TD>3<TD>4
<TR><TD>A<TD>B<TD>C<TD>D
</TABLE>
```

(L'élément `COLGROUP` précise simplement que le contenu des quatre colonnes doit être centré.)

La colonne 1 reçoit 30 pixels.

Il en reste donc (330 – 30) = 300 à répartir entre les trois suivantes dont l'attribut `width` comprend un astérisque.

Le total de ces largeurs fait (3 + 2 + 1) = 6 parties.

Donc, chaque partie vaut (300 / 6) = 50 pixels.

La largeur de la colonne 2 sera donc (50 * 3) = 150 pixels, la largeur de la colonne 3 : (50 * 2) = 100 pixels et la largeur de la colonne 4 : (50 * 1) = 50 pixels.

La figure ci-dessous montre comment se présente le tableau final.

Malheureusement, cela reste théorique et Internet Explorer ne sait pas interpréter le multiplicateur *.

La figure a donc été truquée pour représenter *ce qu'on devrait obtenir* et non pas ce qu'on obtient en réalité.

Quant à Netscape Navigator, comme il ignore complètement l'élément `COL`, la question ne se pose pas.

Commentaires

Cet exemple, directement inspiré du document de référence du W3C, illustre très bien la méfiance avec laquelle on doit accueillir certaines des innovations proposées par HTML 4.

La Figure 2.20 présente un exemple d'application de cet attribut.

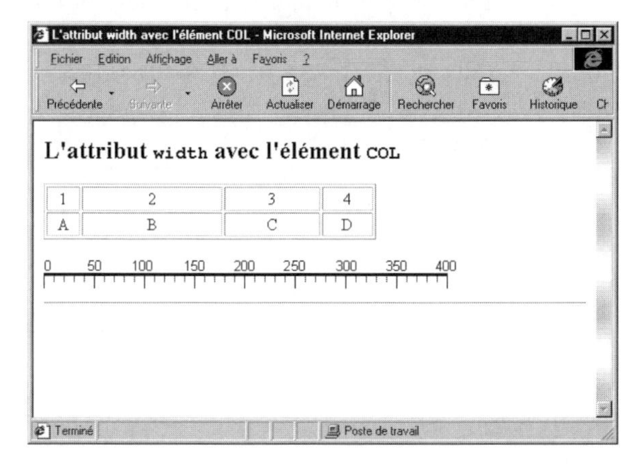

Figure 2.20 : Exemple d'application de l'attribut width dans l'élément COL.

width

Dans l'élément	COLGROUP
Signification	Spécifie la largeur dévolue aux colonnes regroupées ou à une colonne isolée.
Exemple	`<COLGROUP span=3 align="center" width=75>`
Unité ou type	**Description**
Nombre sans dimension, pourcentage ou quantité proportionnelle	Consulter la rubrique précédente consacrée à l'attribut `width` utilisé conjointement à l'élément `COL`.
Commentaires	L'implémentation actuelle de cet attribut laisse à désirer.

width 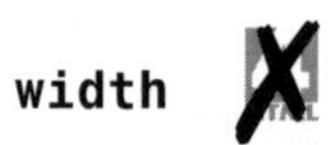

Dans les éléments	TD, TH
Signification	Spécifie la largeur attribuée à la cellule concernée.
Exemple	`<TD width=100>`
Unité ou type	**Description**
Nombre de pixels	Largeur absolue indépendante de la largeur de la fenêtre du navigateur.
Commentaires	CSS1 ne propose pas de règles spécifiques pour les tableaux mais, au niveau des cellules individuelles, on peut utiliser collectivement (`TD width:100`) ou individuellement (avec les attributs `id` ou `class`) la propriété `width`.

width  

Dans l'élément	PRE
Signification	Indique la largeur de l'espace à attribuer à la plus grande ligne du contenu de l'élément.
Exemple	`<PRE width=300>`
Unité ou type	**Description**
Nombre de caractères	Largeur absolue indépendante de la largeur de la fenêtre du navigateur.
Commentaires	Semble n'avoir jamais été implémenté dans les navigateurs courants.

3

Les mots du Web

A l'instar d'une célèbre boisson non alcoolisée, cette Partie III ressemble à un glossaire, elle a le goût d'un glossaire, mais ce n'est pas réellement un glossaire. C'est plutôt le croisement (que certains jugeront contre nature) d'un glossaire et d'un index. Son rôle est d'apporter une aide au lecteur de deux façons :

- en lui précisant la signification de certains concepts qu'il a pu rencontrer dans les deux premières parties et dont la signification lui semble un peu brumeuse,
- en l'aidant à trouver l'élément ou l'attribut qui convient pour réaliser une certaine mise en pages ou présenter un contenu particulier.

Aussi presque toutes les définitions sont-elles complétées par quelques références : aux éléments, aux attributs et à d'autres mots clés touchant au sujet. Nous avons repris là le concept même du Web en créant des liens entre plusieurs articles des trois parties du livre. A cette différence près qu'ici on ne clique pas, on tourne les pages.

Conventions typographiques

Les noms des éléments sont indiqués en capitales (exemple : `IMG`, `TABLE`...), ceux des attributs en bas de casse (exemple : `type`, `align`...). En outre, tous deux sont imprimés avec une police à pas fixe, genre Courier. Les noms des autres entrées de cette liste ou des renvois à d'autres parties du livre sont imprimés avec la police proportionnelle utilisée dans le reste du texte.

Accentués (caractères). On appelle ainsi les caractères qu'on rencontre principalement dans les langues européennes : é, è, ç, ï, ñ... L'alphabet ASCII utilisé par HTML n'en permet pas une représentation littérale, c'est-à-dire telle quelle. Ne serait-ce qu'en raison des différences de codifications utilisées sur les différentes plates-formes (PC, Macintosh, machines UNIX...), il est nécessaire d'adopter une transcodification qui permette de les traduire correctement. On a recours pour cela à des *entités de caractères*.

► *Voir aussi ASCII, Entités de caractères, Annexe C.*

ActiveX. Standard créé par Microsoft pour faciliter la communication entre des modules de programmes écrits dans des langages différents. Certains contrôles ActiveX peuvent être porteurs de virus.

► *Voir aussi* `OBJECT`, *Sécurité, Virus.*

Alignement. L'alignement horizontal et vertical des objets HTML dans une page est l'un des deux moyens d'effectuer une mise en pages correcte (l'autre étant l'utilisation des règles de style concernant le positionnement). A cette fin, il existe un attribut `align` qui peut prendre diverses valeurs représentées par des mots clés conventionnels. Cependant, le W3C a décidé de déconseiller l'utilisation de cet attribut en lui préférant les feuilles de style. Comme tous les navigateurs sont loin d'avoir implémenté toutes les règles de mise en place, il est conseillé aux auteurs Web de continuer encore pendant quelque temps à utiliser l'attribut `align`.

► *Voir aussi Flottant,* `align`, *Annexe A.*

Altavista. Moteur de recherche très populaire (donc très utilisé) du Web. Son adresse est **http://www.altavista.com** et il existe une antenne française à **http://www.altavista.fr**.

Ancrage. Etiquette de référence unique dans un document HTML donné permettant d'afficher le document non pas à partir de son début, mais à partir de cet endroit. C'est un moyen pratique pour repérer les différentes sections d'un même document HTML.

► *Voir aussi Ancrage,* `A`, `LINK`, `id`, *Lien.*

Animation. Courte séquence d'images animées analogue à un clip vidéo, presque toujours accompagnée d'une partie sonore.

► *Voir aussi AVI, MPEG, QuickTime,* `EMBED`, `OBJECT`.

Animées (images GIF). On désigne sous ce nom une technique faisant appel à une propriété particulière des images GIF et qui consiste à reproduire un mouvement à l'aide d'une succession d'images affichées en séquence à la manière d'un dessin animé. Il existe pour cela des logiciels spécialisés comme GifAnim ou GIF GIF GIF.

► *Voir aussi Images, Multimédia,* `GIF`.

Applet. Petit programme écrit en Java qui permet de réaliser certains effets plus ou moins pittoresques au détriment d'un temps de chargement parfois long et d'un risque non négligeable d'insécurité. En août 1998, on a découvert qu'un virus pouvait se glisser dans une applet pour investir une machine. L'utilisateur soucieux du contenu de son disque dur et des économies réalisables sur sa facture France Telecom peut généralement désactiver la machine virtuelle Java de son navigateur.

▶ *Voir aussi Java,* `APPLET`*,* `OBJECT`*, Sécurité, Virus.*

Arrière-plan. Fond d'écran d'un navigateur dont la couleur unie par défaut (blanc ou gris léger) peut être modifiée par l'utilisateur au moyen d'une option de menu ou imposée par l'auteur d'une page Web. Peut alors être de teinte uniforme ou représenter une image. Si celle-ci est trop petite pour remplir tout l'écran, elle est reproduite par effet de mosaïque sur toute la surface de la fenêtre du navigateur. En anglais : *background.*

▶ *Voir aussi Mosaïque, Annexe A,* `BODY`*,* `background`*,* `bgcolor`*.*

Ascenseur. *Voir Barre de défilement.*

ASCII (alphabet). *American Standard for Information Interchange.* Alphabet utilisé par HTML employant une représentation à 7 bits et permettant ainsi de traduire 128 caractères (dont l'espace). Pour représenter les caractères accentués ou spéciaux tels que le symbole Copyright ou l'espace insécable, on a recours à un artifice, celui des *entités de caractères.*

▶ *Voir aussi Caractères spéciaux, Entités de caractères, Annexe C.*

Attribut. Mot clé venant préciser ou compléter la signification d'un élément HTML. La plupart des attributs sont facultatifs, mais certains d'entre eux sont nécessaires comme `src`, dans l'élément `IMG`, qui précise la source de l'image à insérer dans la page Web. Certains attributs sont booléens (voir ce mot), mais la plupart doivent recevoir explicitement une valeur à l'aide du signe "=". Exemple : `src="images/monimage.gif"`.

▶ *Voir aussi Booléen, Partie II.*

Audio. Qui concerne le son. On appelle *carte audio* une carte insérée dans un ordinateur pour lui donner la parole ou lui permettre d'imiter le son d'instruments de musique. Pour créer un lien vers un fichier audio, on écrit une commande de la forme :

```
Ecoutez <A src="easywinr.wav">Easy Winner de Scott Joplin</A>
```

▶ *Voir aussi MIDI, Multimédia, Plug-in, RealAudio, WAV,* `BGSOUND`*,* `OBJECT`*.*

AVI. *Audio Video Interleaved.* Format de fichier créé par Microsoft pour représenter des animations. Plutôt délaissé au profit d'autres formats tels que QuickTime et MPEG.

▶ *Voir aussi MPEG, QuickTime,* EMBED, OBJECT.

Balise. Repère inséré dans un document HTML pour indiquer l'insertion d'un objet ou la mise en forme d'une partie du contenu. Le W3C lui a substitué le terme *élément*, plus générique.

▶ *Voir aussi Partie I, Conteneur, Marqueur.*

Bande passante. D'une façon générale, la bande passante d'un dispositif quelconque est définie par les bornes minimale 0, éventuellement, et maximale du nombre d'éléments (au sens général) passant par le dispositif, par unité de temps. Appliquée à l'Internet, cette expression caractérise le débit d'informations pouvant circuler à un instant donné. Plus grande est la bande passante, plus courts sont les temps d'accès et de transfert. Le *spam*, les images trop grandes et les fichiers audio de type WAV dans une présentation Web concourent à diminuer la bande passante.

▶ *Voir aussi MIDI, Spam, WAV.*

Barre de défilement. Barre verticale située à droite d'une fenêtre et portant un curseur qu'on peut faire glisser avec une souris, faisant ainsi défiler le texte verticalement dans un sens ou dans l'autre.

▶ *Voir aussi* FRAME, FRAMESET, IFRAME, INPUT, select.

Berners-Lee (Tim). Inventeur, avec Robert Cailliau, du Web, au CERN, en 1989. Nommé depuis directeur général du W3C.

▶ *Voir aussi CERN, W3C, Web.*

Booléen (attribut). Un attribut booléen est un attribut qui ne reçoit pas de valeur. Par défaut, il est inactif alors que s'il est écrit tel quel dans la balise initiale de l'élément, il devient actif. Exemple : nohref.

▶ *Voir aussi Attribut, Partie II.*

Bordure. Certains objets HTML peuvent être dotés d'une bordure, par exemple les images et les tableaux. Par défaut, il n'y a pas de bordure. Pour imposer une bordure autour d'une image, on utilise l'attribut border auquel on donne une valeur supérieure à zéro. Pour un tableau, c'est la même chose, mais la seule présence du mot `border` équivaut à `border=1`. Les feuilles de style ont généralisé la notion de bordure à tous les éléments HTML.

▶ *Voir aussi* `IMG`, `TABLE`, `border`, *Annexe A.*

Bouton. Petit objet graphique, généralement de forme rectangulaire et présentant un effet de relief, sur lequel peut cliquer l'utilisateur pour déclencher telle ou telle action particulière.

▶ *Voir aussi Evénement,* `FORM`, `BUTTON`, `INPUT`, `button`.

Boutons radio. Groupe de boutons représentant un ensemble d'options mutuellement exclusives (une seule d'entre elles peut être choisie à un instant donné). Représenté par un petit cercle au centre duquel s'affiche un gros point noir lorsque l'utilisateur a cliqué dessus, éteignant du même coup les autres boutons radio du groupe.

▶ *Voir aussi Bouton, Formulaire,* `BUTTON`, `INPUT`, `FORM`, `radio`.

Browser. Logiciel destiné à feuilleter (à parcourir) un document, plus particulièrement un document HTML. Après un certain temps d'hésitation, on a fini par le traduire par *navigateur.* (Les Québécois semblent préférer *butineur.*) Netscape Navigator et Internet Explorer occupent plus de 90 % du marché, ce qui est une façon de parler puisque ces deux logiciels sont distribués gratuitement.

▶ *Voir aussi Microsoft, Navigateur, Netscape.*

Cadre. Structure particulière dans laquelle la fenêtre du navigateur peut être divisée en zones rectangulaires indépendantes dont le contenu peut être modifié sans altérer celui des autres. Certains anciens navigateurs ne supportent pas cette structure.

▶ *Voir aussi* `FRAME`, `FRAMESET`, `IFRAME`, `NOFRAMES`.

Caractères. *Voir Police de caractères.*

Caractères accentués. Caractères propres à une langue et que HTML ne permet pas de représenter directement.

▶ *Voir aussi ASCII, Entités de caractères, Annexe C.*

Caractères spéciaux. Caractères non alphabétiques ou numériques comportant certains symboles et signes conventionnels (pourcentage, Copyright, par exemple).

▶ *Voir aussi ASCII, Entités de caractères, Annexe C.*

Case à cocher. Petit objet graphique de forme carrée dans lequel peut apparaître une coche. Fonctionne en bascule : un clic et la coche apparaît ; un autre clic et elle disparaît. Sert à représenter différentes options parmi lesquelles on peut en choisir une ou plusieurs.

▶ *Voir aussi* `FORM`, `INPUT`, `checkbox`.

CERN. Sigle désignant le *Centre européen de recherche nucléaire* situé à Genève. C'est là que fut inventé, en 1989, le Web.

▶ *Voir aussi Berners-Lee, Web.*

CGI. *Common Gateway Interface* (interface de passerelle généralisée) C'est un moyen de réaliser un dialogue entre l'utilisateur et le serveur Web alors que, normalement, c'est d'un monologue qu'il s'agit dans lequel l'utilisateur joue le rôle du client. Cette technique a été mise en œuvre dans les formulaires où c'est l'habituel client (l'utilisateur) qui fait parvenir des données au serveur. Sur celui-ci, un programme (référencé par l'attribut `action` de l'élément `FORM`) va traiter ces données et éventuellement renvoyer des résultats sous forme d'une page Web dont le contenu dépend des informations transmises par l'utilisateur. Si on parvient ainsi à un début d'interactivité, c'est au prix d'une charge supplémentaire du serveur et de l'Internet et avec la pénalité d'une attente qui dépend de la bande passante.

▶ *Voir aussi Bande passante,* `FORM`.

Centrage. Pour centrer un objet HTML dans la largeur d'une page, il suffit de l'inclure dans un élément `CENTER` ou `DIV` avec, dans ce cas, l'attribut `align=center`. Notons que l'usage de ces deux éléments pour le centrage d'un objet est maintenant déconseillé par le W3C au profit des feuilles de style. On peut également, avec les mêmes restrictions, centrer un tableau ou le contenu d'une cellule. S'il est possible de centrer verticalement le contenu d'une cellule d'un tableau avec l'attribut `valign="middle"`, ce n'est pas possible pour un objet HTML quelconque étant donné que la notion de hauteur de page n'est pas réellement définie dans une page Web.

▶ *Voir aussi W3C,* `CENTER`, `DIV`, `TABLE`, `align`, `valign`, *Annexe A.*

Citation. Suite de mots, phrase ou paragraphe empruntés à un texte et/ou à un auteur étranger à une page Web et qu'on veut signaler d'une façon particulière à l'attention du visiteur.

▶ *Voir aussi* `BLOCKQUOTE`, `CITE`, `Q`.

Client/serveur. Type d'architecture informatique dans laquelle un *serveur* envoie des informations à un *client* selon sa demande. C'est, entre autres, le modèle du Web.

▶ *Voir aussi* `FORM`, *CGI.*

Commentaire. Dans un document HTML, suite de mots placés dans un conteneur particulier et qui seront ignorés du navigateur. Utilisé généralement pour mémoriser le rôle ou le sens d'une commande ou d'un groupe de commandes afin de mieux s'y retrouver si, plus tard, on doit modifier le document HTML. Un commentaire peut s'étendre sur plusieurs lignes. Il est encadré à gauche par `<!--` et à droite par `-->`.

Communs (attributs). Groupe d'attributs "ordinaires" apparus avec HTML 4 et qu'on retrouve dans presque tous les éléments. Il se divise en trois sous-ensembles rassemblés selon leur fonction : `%coreattrs`, `%i18n`, `%events`.

▶ *Voir aussi Partie II.*

Conteneur. Type d'élément HTML dans lequel on peut insérer un objet particulier qui subira, de ce fait, l'action prévue par l'élément. Se compose d'une balise initiale et d'une balise terminale identique à la balise initiale, mais précédée d'un slash (/). Exemple : `<B>Ce texte sera affiché en gras</B>`.

▶ *Voir aussi Balise, Marqueur.*

Contenu. Ce qui justifie une page Web, autrement dit le texte, les images et les éléments multimédias qui s'y trouvent. C'est une erreur trop répandue chez les auteurs Web que de s'attacher davantage au contenant (couleurs clinquantes, polices de caractères fantaisistes, images trop nombreuses, animations multiples, souvent hors de propos) au détriment du contenu, trop souvent indigent quant au sens, débile quant à la syntaxe et catastrophique quant à l'orthographe.

▶ *Voir aussi* `BODY`, *Police de caractères.*

Cookies. Petits fichiers texte enregistrés sur le disque dur d'un utilisateur par une présentation Web, destinés généralement à mémoriser certaines options adoptées par l'utilisateur au moment de sa visite de la présentation. Contrairement à ce qu'on croit généralement, les cookies ne sont pas dangereux. Il est presque toujours possible de les refuser soit au coup par coup, soit en activant certaines options de sécurité d'un navigateur.

▶ *Voir aussi Sécurité, Virus.*

Couleur. L'utilisation réfléchie de la couleur dans une page Web l'agrémente et améliore sa lisibilité. Son emploi maladroit ou excessif (arrière-plan trop sombre, texte d'une couleur trop proche de celle de l'arrière-plan, par exemple) peut inciter le visiteur à aller voir une autre présentation.

► *Voir aussi Annexe D,* `BODY`, `FONT`, `alink`, `bgcolor`, `color`, `link`, `text`, `vlink`.

Courrier électronique. Pour permettre au visiteur d'envoyer un message à l'auteur de la présentation, on peut insérer dans sa page Web un lien de ce genre :

```
Dites-moi ce que vous en pensez :
<A href="mailto:j.dupont@monserveur.fr">
mailto:j.dupont@monserveur.fr</A>
```

► *Voir aussi Mailer, Protocole, Webmaster.*

CSS. *Cascading Style Sheets* (feuilles de style en cascade). Type de feuilles de style retenu par le W3C pour faciliter la mise en pages des documents HTML. Une première version (CSS1) est apparue en 1997 ; une seconde (CSS2) au début de 1998. Les navigateurs sont loin (très loin, même, pour Netscape Navigator et encore davantage pour Opera) d'avoir actuellement implémenté toutes les spécifications de CSS1.

► *Voir aussi Style,* `STYLE`, `DIV`, `SPAN`, `style`, *Annexe A.*

Director. Nom d'un logiciel créé par Macromedia pour créer des animations ne nécessitant pas de gros fichiers.

► *Voir aussi Macromedia, Multimédia, Flash, Plug-in.*

DTD. *Document Type Definition.* Document définissant de façon formelle la syntaxe d'un langage tel que HTML ou SGML. Son usage est réservé aux spécialistes.

E-mail. *Voir Courrier électronique.*

Editeur HTML. Editeur spécialisé dans la création des pages Web. Il en existe de tous types, depuis l'éditeur très proche du simple éditeur de textes comme le Bloc-notes jusqu'à des éditeurs WYSIWYG qui vous permettent (presque) d'ignorer les balises en générant automatiquement le code nécessaire à la suite d'un certain nombre de manipulations de souris et de frappes effectuées par l'utilisateur.

► *Voir aussi WYSIWYG.*

Elément. C'est le terme générique qui désigne toutes les balises HTML, que ce soit des conteneurs comme <A> ... </A> ou de simples marqueurs comme <IMG>.

Voir aussi la Partie I.

Enrichissement. Modification de l'apparence des caractères telle que la mise en gras, l'italique, le souligné ou la couleur.

Voir aussi B, BASEFONT, FONT, I, S, STRIKE, U.

Entités de caractères. Moyen utilisé pour représenter les caractères qui ne font pas partie de l'alphabet ASCII standard à 128 caractères comme les caractères accentués ainsi que quelques caractères ordinaires jouant un rôle particulier dans la grammaire de HTML. Il consiste à placer entre un "&" initial et un ";" terminal une désignation abrégée du caractère concerné. Exemple : `é` signifie "é". Une autre forme, moins évocatrice, consiste à remplacer la désignation abrégée par le numéro décimal du caractère. L'Annexe C contient le tableau des entités de caractères usuelles.

Voir aussi Espaces, Annexe C.

Espaces. HTML reconnaît deux sortes d'espaces typographiques : l'espace normale et l'espace insécable[1]. Dans un texte ordinaire, quel que soit le nombre d'espaces ordinaires consécutives, seule la première d'entre elles sera "affichée", sauf si le texte est inclus dans un élément PRE. L'espace insécable est codée par l'entité de caractère ` ` (*non breaking space*). Plusieurs entités de ce type consécutives seront représentées comme une suite d'espaces, quel que soit l'élément dans lequel elles figurent. Enfin, la présence d'une espace insécable dans une cellule de tableau ne contenant rien d'autre permet une représentation normale des bordures de cette cellule.

Voir aussi TABLE, TD, TH.

Eudora. Nom d'un logiciel de courrier électronique très utilisé parce que très simple à utiliser tout en proposant de nombreuses fonctionnalités. Il en existe des versions pour Windows, Macintosh et UNIX. Il en existait auparavant une version "pro" et une version "lègère" (dépourvue de certaines fonctionnalités). Elles ont été fondues en une seule pouvant fonctionner en trois modes : gratuit (dépouillée), sponsorisée (des petites fenêtres de publicité s'affichent périodiquement sur l'écran) ou payant (complète et sans écrans de pub). Pour plus de détails, voir le site Web de Qualcomm, son éditeur, à l'URL **http://www.eudora.com**.

Voir aussi Mailer, Outlook Express.

1. L'espace typographique est normalement du genre féminin.

Evénement. HTML désigne sous le nom d'*événement intrinsèque* les actions de l'utilisateur sur la souris ou le clavier. Il est possible, dans certaines commandes HTML, de déclencher une action particulière (l'appel d'une routine de script, par exemple) en utilisant un attribut particulier comme `onmousedown`, `onkeyup`, `onchange`, `onblur`...

Voir aussi la Partie II.

Favori. Personnage qu'on retrouve dans l'ombre d'un grand. Exemple : "Le Maréchal d'Ancre était le favori de Catherine de Médicis." Traduction adoptée dans la version française de Internet Explorer du mot anglais *bookmark*, généralement traduit par *signet*.

Feuille de style. *Voir Style (feuille de).*

Fichier. Un fichier est une collection d'éléments informatiques de même nature. D'une façon générale, on distingue les fichiers de programmes (qui contiennent des programmes exécutables ou des modules de bibliothèques) et les fichiers de données qui peuvent contenir des données numériques, du texte (formaté ou non), des images, des sons, des animations, etc. Un fichier HTML contient des commandes HTML.

Voir aussi la Partie I, `HTML`.

Filet. Barre horizontale de séparation, de largeur et d'épaisseur variables, destinée à délimiter les différentes sections d'un document HTML. Avec les feuilles de style, on peut même modifier sa couleur.

Voir aussi `HR`, *Annexe A.*

Flash. Nom du plug-in permettant de visualiser les animations créées par le logiciel Director de Macromedia.

Voir aussi Macromedia, Multimédia, Plug-in.

Flottant (objet). Un objet HTML flottant peut être entouré par du texte. Pour cela, on utilise généralement l'attribut `align` en lui donnant les valeurs `left` (à gauche) ou `right` (à droite). On voit sur la Figure 3.1 l'effet de ces attributs. Bien que l'usage de cet attribut soit déconseillé par le W3C, il reste néanmoins très utilisé pour ce type d'entourage.

Voir aussi Alignement, Image, `IMG`, `align`, *Annexe A.*

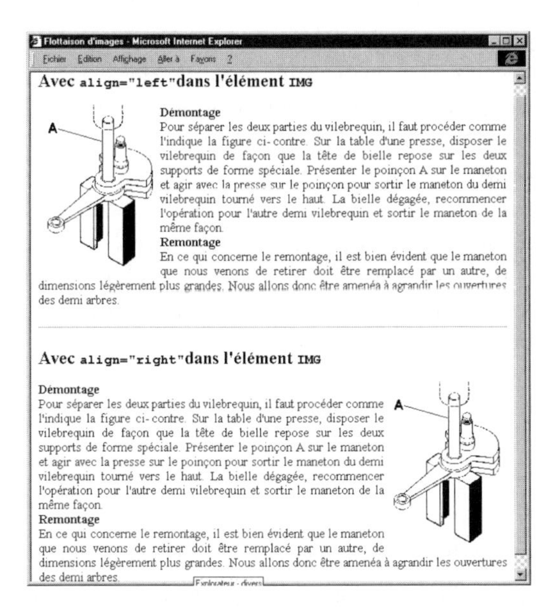

Figure 3.1 : Images flottantes à gauche et à droite.

Focus. On dit qu'un objet HTML d'une page a le *focus* lorsqu'il est réceptif aux événements extérieurs. Cette qualité s'acquiert par une sélection effectuée soit en cliquant dessus, soit par une suite d'appuis sur la touche <Tab>. Lorsqu'un élément HTML gagne le focus, il peut appeler une routine de traitement au moyen de l'attribut `onfocus`. Symétriquement, lorsqu'il le perd, il peut appeler une autre routine au moyen de l'attribut `onblur`.

▶ *Voir aussi* `TABLE`, `tabindex` *et, dans la Partie II, les attributs dont le nom commence par* "`on`".

Fonte. *Voir Police de caractères.*

Formulaire. C'est le moyen le plus courant pour permettre à l'utilisateur d'envoyer des données au serveur. Un formulaire consiste en un certain nombre de boîtes de saisie, de boutons-radio et de cases à cocher proposées par l'auteur Web et disposées à sa convenance. Une fois qu'il a terminé ses saisies, l'utilisateur a le choix entre cliquer sur un bouton *submit* (soumettre, envoyer) pour valider l'envoi et un bouton *reset* (réinitialisation) pour effacer tout et reprendre depuis le début. Les éléments saisis sont généralement envoyés au serveur où ils seront traités par un script CGI local désigné par l'attribut `action`. On peut également les expédier sous forme de courrier électronique à une adresse *e-mail* quelconque.

▶ *Voir aussi CGI,* `FORM`, `INPUT`, `OPTION`, `SELECT`, `TEXTAREA`, `action`, `method`, `size`, `type`.

Franglais. Tendance naturelle à utiliser par paresse les mots du vocabulaire anglais sans se donner la peine de leur trouver un équivalent français ou de créer un mot à cet usage. Exemples : e-mail, spam, news, browser, mailer, Web... Les Canadiens, toujours plus francophones que les Français, et qui ne craignent pas le ridicule, ont proposé des néologismes toujours étranges, parfois poétiques, tels que courriel, nouvelles, butineur, pollu ou polluriel, ouaibe. Certains de nos compatriotes et quelques organismes privés ou publics font de même, probablement parce que, trop casaniers pour aller faire un tour aux Etats-Unis, ils ignorent que les Américains nous ont emprunté pas mal de mots dans des domaines où notre supériorité est reconnue : filet mignon, brunette, cabernet...

Freeware. Logiciel du domaine public que chacun peut utiliser sans rien devoir payer à personne.

▸ *Voir aussi Shareware.*

FrontPage. Editeur HTML WYSIWYG créé par Microsoft. C'est un outil de haut niveau pour l'écriture des pages Web. Il présente la particularité d'apporter des fonctionnalités supplémentaires au langage HTML standard (grâce à des entités appelées *WebBots*) au prix d'un certain nombre d'extensions que doit obligatoirement posséder le serveur sur lequel sont installées les pages ainsi écrites. Pour diverses raisons — dont des exigences au niveau de la sécurité — beaucoup de serveurs préfèrent n'en rien faire. Il en existe une version dépouillée, FrontPage Express, qui est distribuée gratuitement avec Windows 98.

▸ *Voir aussi Editeur HTML, Microsoft, WYSIWYG.*

FTP. *File Transfer Protocol.* Il s'agit du protocole utilisé pour transférer des fichiers sur l'Internet. On peut réaliser l'équivalent dans une page Web de la façon suivante :

```
Pour télécharger mon programme cliquez <A href="www
➥.monserveur.fr/~dupont/monprog.zip">ici</A>
```

▸ *Voir aussi Fichier, Protocole.*

GIF. *Graphics Interchange Format.* Format d'image créé par CompuServe qui permet de représenter des images en 256 couleurs. Convient particulièrement bien aux images contenant de grands à-plats de couleurs comme les plans, les schémas ou les dessins réalisés à l'aide d'outils graphiques. Il n'y a pas de perte d'information. Les fichiers GIF ont pour extension .GIF.

▸ *Voir aussi* IMG.

Gras. Enrichissement du texte consistant en l'emploi d'une police plus large, mais de corps (hauteur) identique. Se dit *bold* en anglais, ce qui explique le nom de l'élément concerné.

▶ *Voir aussi* B.

Hébergement. Pour qu'une présentation Web puisse être vue du monde entier, elle doit être *hébergée* sur un serveur Web, c'est-à-dire que les documents qui la constituent (fichiers HTML, images et autres) doivent être situés dans un répertoire de ce serveur qui est relié en permanence à l'Internet. Certaines entreprises, établissements publics et universités ont une connexion directe et peuvent donc héberger leurs présentations *in situ*. Les particuliers et les entreprises qui ne peuvent pas s'offrir une connexion permanente recourent alors à un prestataire extérieur qui hébergera leur présentation Web. Pour les entreprises, cet hébergement est naturellement payant selon un tarif où interviennent, entre autres, la taille des pages Web et leur fréquence de consultation. Pour les particuliers et les associations à but non lucratif, il existe un peu partout quelques généreux mécènes. Certains imposent parfois à leur hébergé d'insérer des bandeaux publicitaires dans ses pages. En France, citons Multimania (**http://www.multimania.com**), Chez (**http://www.chez.com**), Altern (**http://www.altern.org**), CitéWeb (**http://www. citeweb.net**), SiteFun (**http://www.sitefun.com**) et Le Village (**http://www. levillage.com**). Aux Etats-Unis, GeoCities (**http://www.geocities.yahoo.com**) et Tripod (**http://www.tripod.com**) sont parmi les plus connus.

▶ *Voir aussi Multimania, Webmaster.*

HTML. *HyperText Markup Language* (langage hypertexte à balises) est un dérivé de SGML, langage utilisé pour la description de la structure de textes scientifiques. C'est la *lingua franca* du Web.

▶ *Voir aussi SGML.*

http://. Protocole spécifique du Web. Toutes les adresses (URL) de présentations Web commencent par cette suite de caractères. Si l'adresse elle-même commence par www, on peut généralement omettre l'indication du protocole lorsqu'on la saisit dans la fenêtre appropriée du navigateur.

▶ *Voir aussi Protocole, Serveur, HTML.*

Hypertexte. Ensemble de textes informatiques pouvant être consultés au moyen d'un système de renvois matérialisé par des liens (en anglais : *hyperlinks*, rarement traduit par *hyperliens*). C'est le principe utilisé par le Web.

▶ *Voir aussi Web, WWW, HTML, SGML.*

Image. Les navigateurs ne reconnaissent de façon native que trois formats d'image : GIF, JPEG et PNG. Encore que ce dernier format, récent, ne soit pas encore reconnu par tous, surtout lorsqu'il s'agit de versions anciennes. Le chargement des images pouvant allonger de façon sensible le temps de connexion, la plupart des navigateurs disposent d'une option permettant de le désactiver. Pour que, dans ce cas, le visiteur puisse savoir ce que représentaient les images non affichées, les bons auteurs Web prévoient un texte de substitution indiqué par l'attribut `alt`. Le format de l'image affichée peut être différent de celui de l'image transférée selon les valeurs prises par les attributs `height` et `width` définissant respectivement la hauteur et la largeur de l'image, mais, de toute façon, l'image transférée sera toujours la même et son chargement demandera exactement le même temps.

▶ *Voir aussi GIF, JPEG, PNG,* `IMG, align, alt, height, src, width.`

Image réactive. Image découpée de façon le plus souvent invisible en différentes zones significatives sur lesquelles un clic de souris permet de charger différentes pages HTML. Le découpage peut s'effectuer selon trois formes simples : rectangle, cercle et polygone.

▶ *Voir aussi* `AREA, ismap, MAP, LINK, href, nohref, shape, usemap.`

Indentation. On désigne sous ce nom un léger retrait d'un paragraphe destiné à le mettre en valeur.

▶ *Voir aussi* `BLOCKQUOTE, DD, P.`

Internet. Réseau de réseaux couvrant toute la planète et qui constitue la couche de transport du Web. Il est aussi utilisé pour assurer d'autres types de transferts : courrier électronique, fichiers, vidéo et même téléphonie vocale.

Internet Explorer. Navigateur distribué gratuitement par Microsoft. La version courante mi-98 est la 4.0. On annonce la version 5.0 pour le second semestre 1998.

▶ *Voir aussi Browser, Navigateur, Microsoft, Netscape.*

Intranet. Réseau local dont le serveur diffuse des informations sous forme de site Web.

Italique. Enrichissement du texte consistant en une écriture penchée.

▶ *Voir aussi* `I.`

Java. Langage semi-compilé créé par Sun Microsystems, qui présente l'avantage d'être portable sur toutes les machines pour peu qu'elles disposent d'un logiciel spécial appelé *machine virtuelle Java*. Ce caractère d'universalité le rend particulièrement adapté aux présentations Web qu'il peut ainsi doter de gadgets divers. C'est un langage orienté objet, proche du C++, qui possède une syntaxe complexe le mettant hors de portée des débutants. Sa puissance lui permet de faire des opérations qui peuvent être dangereuses pour la machine de l'utilisateur. Aussi les navigateurs possèdent-ils généralement une option permettant de désactiver leur machine virtuelle Java. Les programmes écrits en Java sont appelés des *applets*.

▶ *Voir aussi* `APPLET`, `OBJECT`, *Sécurité, Virus.*

JavaScript. Contrairement à ce que pourrait laisser supposer son nom, JavaScript n'est pas un "sous-Java". Il s'agit d'un langage simple, interprété, conçu par Netscape et dont la syntaxe est proche de celle du C, mais d'un C proche du BASIC (la notion de pointeur n'existe pas en JavaScript). Si la notion d'objet est présente dans JavaScript, c'est de façon très atténuée. Plutôt qu'un langage orienté objet, mieux vaut dire que JavaScript est un langage *teinté* objet. Les routines écrites en JavaScript se placent généralement dans un élément `SCRIPT` placé presque toujours dans la section d'en-tête du document HTML. C'est un excellent langage pour traiter les événements intrinsèques de la souris et du clavier ou vérifier localement les saisies effectuées dans un formulaire par un utilisateur avant de les envoyer au serveur.

▶ *Voir aussi JScript,* `SCRIPT`, `type` *et, dans la Partie II, les attributs dont le nom commence par* `on`.

JPEG. *Joint Photographic Expert Group*. Format d'image créé par un groupe d'experts et qui permet de représenter des images avec un nombre de couleurs quelconque (65 536 est courant). Il convient particulièrement bien aux images photographiques, plus mal aux images contenant de grands à-plats de couleurs. La qualité des images obtenues dépend du facteur de compression adopté, car c'est une représentation avec perte d'information. Les fichiers JPEG ont pour extension JPG.

▶ *Voir aussi* `IMG`.

JScript. C'est le nom donné par Microsoft à son implémentation de JavaScript, un peu moins complète que celle de Netscape (version 1.1).

▶ *Voir aussi JavaScript,* `SCRIPT`.

Liens. Un lien est le moyen utilisé pour passer d'une page Web à une autre. Avec HTML, il est concrétisé par un *appel de lien* en forme de texte, d'image ou d'image réactive sur lequel doit cliquer le visiteur.

▶ *Voir aussi* `A`, `AREA`, `LINK`, `IMG`, `MAP`.

Macromedia. Nom d'un éditeur américain qui vend (pour environ 300 dollars) un logiciel de création d'animations, Director, permettant de réaliser des scènes animées au moyen de fichiers peu encombrants. Pour visualiser ces animations, il suffit d'un plug-in (gratuit) qu'on peut se procurer sur le site de Macromedia, à l'URL **http://www.macromedia.com/software/flash/**.

▶ *Voir aussi Animation, Images, Plug-in.*

Mailer. Logiciel de traitement du courrier électronique.

▶ *Voir aussi Eudora, Outlook Express.*

mailto:. Protocole spécifiant qu'une URL pointe vers une adresse de courrier électronique. On utilise principalement un tel protocole dans un élément `ADDRESS` ou dans l'attribut `action` d'un élément `FORM`.

▶ *Voir aussi Courrier électronique, Protocole,* `ADDRESS`, `FORM`, `action`.

Marqueur. C'est un élément vide qui n'a qu'une balise initiale et pas de balise terminale. Par exemple : `IMG`.

▶ *Voir aussi Balise, Conteneur.*

Microsoft. C'est le numéro 1 mondial du logiciel, dont le président fondateur s'appelle Bill Gates. Microsoft équipe 95 % des ordinateurs personnels avec son système d'exploitation Windows (3.1, 95, 98, NT). Outre un grand nombre de logiciels, particulièrement dans le domaine de la bureautique, Microsoft propose un navigateur, Internet Explorer, distribué gratuitement. Ce navigateur se caractérise par une implémentation assez complète des spécifications de HTML 4 et des feuilles de style CSS1. Dans le domaine du Web, il convient aussi de citer FrontPage qui est un éditeur HTML WYSIWYG de haut niveau et dont une version édulcorée, FrontPage Express, accompagne Windows 98.

▶ *Voir aussi FrontPage, Web, Navigateur.*

MIDI. *Musical Instrument Digital Interface.* Interface standardisée utilisée pour raccorder certains instruments de musique électroniques (synthétiseurs) à un ordinateur. Au lieu d'utiliser des sons numérisés, on emploie des codes définissant pour chaque note sa durée, sa hauteur, son intensité, son attaque, le type d'instrument à utiliser, etc. Les cartes audio dont on peut équiper un micro-ordinateur reconnaissent ce type de notation.

▶ *Voir aussi* BGSOUND, EMBED, OBJECT.

MIME (types). *Multipurpose Internet Mail Extensions.* Ensemble de codes qui permettent d'inclure n'importe quel type de fichiers dans un courrier électronique pour peu que le *mailer* utilisé par le destinataire sache interpréter ces types.

▶ *Voir aussi* A, INPUT, FORM, accept, codetype, enctype, type.

Miniature. *Voir Vignette.*

Mise en pages. Façon de disposer les éléments dans une page Web pour qu'ils se présentent de façon agréable. Avant que n'apparaissent les feuilles de style, la mise en pages se faisait surtout à l'aide de tableaux dont on n'affichait pas les bordures. En effet, l'élément TABLE est le seul qui permette de placer des objets HTML dans une page en leur assignant une position relative fixe. Les images flottantes sont également très utilisées lorsqu'on veut mêler étroitement texte et images. Malheureusement, certains effets sont encore actuellement impossible à réaliser, sinon au prix d'acrobaties d'écriture HTML telles que la restitution correcte n'en est généralement possible qu'avec un seul navigateur. Citons, par exemple, l'inclusion d'images non rectangulaires, la disposition du texte en plusieurs colonnes, la rotation d'images ou de paragraphes, même de multiples de 90°.

▶ *Voir aussi Annexe A, Images,* TABLE, P, BR, DIV, IMG.

Moteur de recherche. Site Web spécialisé dans la recherche d'adresses sur l'Internet en partant d'un mot clé. Certains sont généralistes alors que d'autres opèrent sur des créneaux plus étroits. C'est l'outil à utiliser lorsqu'on veut connaître quels sont les sites Web traitant d'une question particulière. Tout le problème est alors de choisir le ou les mots clés de recherche de façon à ne pas ramener trop de réponses. Chaque moteur de recherche ayant sa propre grammaire, mieux vaut alors consulter des ouvrages spécialisés sur le sujet. Les principaux moteurs de recherche internationaux sont AltaVista, Infoseek, Lycos, Yahoo!. En France, citons Voila (émanation de France Télécom), Carrefour, Eureka, Ecila.

▶ *Voir aussi Yahoo!.*

MPEG. *Moving Pictures Expert Group.* Format de fichiers multimédias élaboré par un groupe d'experts servant à représenter des images animées, sonorisées ou non. Les scènes sont décomposées en images successives (*frames*) et seuls les éléments qui diffèrent d'une image à l'autre sont codés. La création de fichiers à ce standard exige des dispositifs matériels onéreux, mais leur restitution peut s'effectuer avec un simple logiciel approprié, pour peu que l'ordinateur utilisé soit suffisamment rapide.

▶ *Voir aussi Multimédia* `OBJECT`, `data`.

Multimania. Serveur offrant un hébergement gratuit de pages Web, qui a repris Mygale, créée en 1996 par Fred Cirera, alors étudiant à l'université Paris VIII (Villetaneuse) dans le cadre d'un projet de banalisation de l'outil informatique sur Internet. Contraint de mettre fin à son expérience par RENATER (l'autorité gérant l'Internet pour les universités), le créateur de Mygale trouva d'abord un refuge auprès du fournisseur d'accès Havas on Line avant de pouvoir obtenir assez de moyens financiers (par une contribution volontaire de ses adhérents — le Myga-Noël — et divers sponsors) pour créer un serveur en propre. Cette aventure est restée unique dans son genre. Mygale a, depuis un peu plus d'un an, été repris par Multimania qui est probablement à l'heure actuelle l'hébergeur qui compte le plus de pages personnelles en France. Sa récente introduction en bourse a rencontré un très vif succès (seul un tiers des demandes d'actions ont pu être satisfaites), témoin de son succès commercial.

▶ *Voir aussi Hébergement.*

Multimédia. Tout ce qui n'est pas strictement du texte peut être considéré comme étant du multimédia : images (animées ou non), sons...

▶ *Voir aussi Plug-in, RealAudio,* `BGSOUND`, `EMBED`, `OBJECT`.

Navigateur. Logiciel destiné à feuilleter (à parcourir) un document et plus particulièrement un document HTML. *Voir Browser.*

▶ *Voir aussi Internet Explorer, Netscape, Microsoft.*

Netscape. Entreprise fondée en 1993 par Jim Clark et Marc Andreesen. A été jusqu'à ces deux dernières années le leader incontesté du marché des navigateurs avec son logiciel Netscape Navigator. Voit ses parts de marché s'effriter depuis l'entrée en lice de Internet Explorer, le navigateur de Microsoft. Vend également des logiciels de serveur Web. Depuis le second trimestre 1998, le navigateur Netscape Navigator est distribué gratuitement.

▶ *Voir aussi Browser, Navigateur, Internet Explorer, Microsoft, Netscape Navigator.*

Netscape Navigator. Navigateur édité par Netscape, diffusé gratuitement, et qui en est actuellement à sa version 4.05. Souffre d'un retard certain dans l'implémentation des nouveaux éléments de la spécification HTML 4 et des feuilles de style CSS1.

▶ *Voir aussi Browser, Navigateur, Internet Explorer, Microsoft, Netscape.*

News. Système de communication utilisant l'Internet comme couche de transport et qui s'apparente au courrier électronique. Mais au lieu de s'adresser à un destinataire particulier, les messages (on dit *articles*) sont envoyés à la cantonade et y répond qui veut. Pour tenter de mettre un peu d'ordre dans ce foisonnement, un certain nombre de catégories ont été créées, elles-mêmes subdivisées en groupes. Les serveurs de news en diffusent un nombre variable, généralement compris entre 5 000 et 20 000.

▶ *Voir aussi Annexe F.*

Outlook Express. Logiciel distribué par Microsoft en même temps que Windows 98 et qui remplit les fonctions de mailer et de lecteur de news. Moins complet qu'Eudora, il offre l'avantage de permettre une connexion sur plusieurs fournisseurs d'accès et son utilisation est assez facile.

▶ *Voir aussi Eudora, mailer.*

Page Web. Une page Web est ce qui est affiché par un navigateur à partir d'un document HTML unique. Etant donné la diversité des écrans utilisés pour surfer sur le Web, la notion de page, au sens où on l'entend dans la chose imprimée, est ici dépourvue de sens.

Paragraphe. Unité de texte comportant une ou plusieurs phrases.

▶ *Voir aussi* `BR, DIV, HR, P.`

Plug-in. Module logiciel destiné à travailler en collaboration avec un navigateur pour lui permettre d'afficher ou de faire entendre certains fichiers d'un format non reconnu de façon native.

▶ *Voir aussi Multimédia, RealAudio.*

Police de caractères. Ensemble des caractères comportant toutes les variations possibles (normal, gras, italique, majuscules et minuscules) d'un dessin particulier. Il existe deux grandes familles : les polices à pas fixe où chaque caractère occupe la même place en largeur (comme avec les machines à écrire mécaniques) et les polices proportionnelles où l'espace occupé est *proportionnel* au graphisme du caractère. Ce type de police est reconnu comme celui qui procure la meilleure lisibilité. Parmi les polices à pas fixe, la plus utilisée est appelée Courier (avec un seul "r"). Pour les autres, on n'a que l'embarras du chois : Times, Arial, Bodoni, Garamond, Baskerville, Gothic, Helvetica, etc. Le terme anglais est *font* qui explique la traduction *fonte* adoptée par certains, principalement dans les arts graphiques.

▶ *Voir aussi* `B, BASEFONT, FONT, I, TT, PRE,` *Contenu, Gras, Italique.*

PNG. Nouveau format d'image créé récemment et destiné à remplacer le format GIF dont l'emploi soulève d'épineuses questions de copyright. Encore incomplètement implémenté par les navigateurs. Les fichiers PNG ont pour extension .PNG.

Voir aussi `IMG`, *GIF, Images, JPEG.*

Propriété. Ce terme est utilisé avec les feuilles de style et il a un sens analogue à celui d'attributs pour les documents HTML simples. De même que ceux-ci, les propriétés doivent généralement recevoir une valeur, mais cette affectation se fait ici à l'aide du caractère ":". Exemple : `color:red`.

Voir aussi CSS, Feuilles de style.

Protocole. Sur l'Internet, on utilise des messages de formats divers selon le type de ressource auquel on s'intéresse. Pour que le dialogue puisse s'établir entre le client et le serveur, il est nécessaire d'enrober les messages dans une enveloppe conventionnelle appelée *protocole.* L'indication de ce protocole fait partie de l'URL de la ressource. Pour le Web, par exemple, c'est `http://`.

Voir aussi URL.

RealAudio. Système de diffusion de sons (musique et/ou paroles) permettant une écoute presque instantanée de ce qui est transmis sans qu'il soit nécessaire d'attendre, comme avec les procédés traditionnels, que l'intégralité du fichier soit reçu. Malheureusement, étant donné l'engorgement actuel de l'Internet et les divers aléas de transmission, aux vitesses habituelles de 28,8 et même 33,6 Kbps, ce qu'on entend est très souvent haché en petits fragments et la qualité sonore n'est pas au rendez-vous. Il est nécessaire de disposer du plug-in approprié à la réception. Pour plus de détails, consulter le site Web de RealAudio à l'URL **http://www.real.com**.

Voir aussi Multimédia, Plug-in.

RFC (*Request for comments*). Demande de commentaires sur de nouvelles propositions concernant différents standards. Une fois approuvés, ceux-ci portent la référence du RFC particulier qui a été utilisé pour les instruire.

Sécurité. Ensemble des règles qui permettent d'éviter la destruction malveillante ou involontaire et le vol de données dans un ordinateur. Les principales sources d'insécurité sont les virus contre lesquels l'antidote le plus efficace consiste en des sauvegardes préventives des éléments sensibles. C'est à tort qu'on accuse parfois les cookies d'être un facteur d'insécurité.

Voir aussi Cookies, Virus.

Serveur. Machine jouant le rôle d'émetteur dans l'architecture client/serveur. Un serveur Web est une machine sur laquelle sont hébergées des présentations Web, qui reçoit les requêtes de ses clients et leur envoie les fichiers demandés.

▶ *Voir aussi Web, WWW.*

SGML. *Standard Generalized Markup Language* (langage standard de marquage généralisé). C'est un langage normalisé (ISO 8879) qui permet de décrire de façon exhaustive la structure et le contenu de différents types de documents électroniques. Pour plus de détails, consulter **http://www.infosys.edu.au/info/sgml-faq.txt** et **http://www .sil.org/sgml/**.

▶ *Voir aussi HTML.*

Shareware. Forme de diffusion de logiciels permettant à l'utilisateur d'essayer un programme gratuitement et de ne le payer que s'il en est satisfait et décide de continuer à l'utiliser. Très courant sur l'Internet. Quelques puristes ont tenté de proposer les mots *graticiel* et *partagiciel* qui n'ont heureusement guère soulevé d'enthousiasme.

▶ *Voir aussi Freeware.*

Signet. En anglais : *bookmark*. Mémorisation dans un navigateur de l'URL d'un site Web permettant d'y retourner facilement plus tard.

Site Web. On désigne souvent sous ce nom l'ensemble des documents HTML constituant une présentation. Il y a cependant un risque de confusion avec le serveur, site étant pris ici dans son sens réel de "site géographique". Mieux vaut, en général, adopter l'expression "présentation Web".

▶ *Voir aussi Editeur HTML, Hébergement, Web, WWW.*

Spam. Egalement appelé "courrier poubelle", le spam est l'équivalent électronique des nombreux et inintéressants prospectus qui encombrent les boîtes aux lettres postales traditionnelles.

▶ *Voir aussi Bande passante, Franglais, Mailer.*

Style (feuille de). Dans les traitements de texte traditionnels, une feuille de style permet à différents auteurs de produire des textes respectant une mise en pages commune selon des modèles préalablement définis. Pour les documents HTML, le W3C a proposé, au début de 1997, un système analogue appelé *Cascading Style Sheets* (feuilles de style en cascade) qui apporte énormément de possibilités de mise en pages aux pages Web. L'implémentation de la première version — CSS1 — n'est encore que partielle, ce qui n'a pas empêché le même W3C de proposer, en janvier 1998, une seconde version, CSS2, d'une grande complexité. Pour plus de détails, consulter le site Web du W3C à l'URL **http://www.w3.org/TR/1998/WD-css2-19980128.**

▸ *Voir aussi Style,* STYLE, DIV, SPAN, style, *Annexe A.*

Tableau. Un tableau est utilisé soit au sens traditionnel pour présenter des données numériques, soit pour réaliser une mise en pages élaborée sans mettre en œuvre les feuilles de style. Dans le premier cas, on affiche généralement les bordures (attribut border), alors que dans le second on les laisse invisibles. Un tableau est organisé en lignes de cellules à l'intérieur desquelles on peut mettre n'importe quel objet HTML (jusques et y compris un autre tableau qui, à son tour...)

▸ *Voir aussi Mise en pages,* TABLE, TD, TH, TR, FIELDSET, CAPTION, LEGEND, COL, COLGROUP, border, align, valign, bgcolor, char, charoff.

Transparence. Dans une page Web, une image est dite "transparente" lorsqu'une certaine couleur, choisie par l'auteur, n'est pas affichée, permettant ainsi de voir le fond de page au travers. Cette propriété ne s'applique actuellement qu'aux images GIF.

▸ *Voir aussi GIF,* IMG.

URL. *Uniform Resource Locator* (adresse de ressource uniformisée). C'est le type d'adresse utilisée sur l'Internet, non seulement pour le Web, mais aussi pour toutes les ressources accessibles par ce moyen. Une URL se compose d'un *protocole* (http:// pour les documents HTML, ftp:// pour le FTP — transfert de fichiers par l'Internet —, mailto: pour le courrier électronique, etc.) suivi d'une désignation du domaine et du serveur sous une forme qui dépend de la ressource à laquelle on veut accéder.

▸ *Voir aussi* A, FORM, LINK, action, href.

Vignette. Le temps de chargement d'une image de bonne taille, riche de détails et de couleurs, est généralement important et risque d'impatienter le visiteur. Pour éviter cela on a recours à une petite image (moins de 200 × 200 pixels), réduction de l'image en vraie grandeur utilisée comme appel de lien afin que l'utilisateur effectue un acte volontaire s'il veut voir tous les détails de l'image. Microsoft appelle ce type d'image une *miniature* dans la version française de Internet Explorer.

▸ *Voir aussi Images.*

Virus. Parasite logiciel pouvant nuire à l'intégrité des données et des programmes contenus dans un ordinateur. Contrairement à une crainte trop répandue, les virus actuellement connus ne peuvent pas nuire à l'intégrité du matériel et il y a peu de chances qu'ils y parviennent. Les présentations Web peuvent être porteuses de virus par le biais de contrôles ActiveX ou d'applets Java.

Voir aussi Active X, Cookies, Java, Sécurité.

Visual Basic Script. Langage de script écrit par Microsoft à partir du BASIC pour concurrencer JavaScript dans les présentations Web. Seul, actuellement, Internet Explorer semble capable de l'exploiter.

Voir aussi JavaScript, SCRIPT.

W3C. *World Wide Web Consortium.* C'est l'organisation ayant en charge l'élaboration et le suivi des spécifications (remarquez que nous ne disons pas *normes*) concernant le Web. Elle est présidée par Tim Berners-Lee, inventeur du concept du Web. Pour tout renseignement complémentaire, on peut consulter le site Web du W3C à l'URL **http://www.w3c.org/**.

Voir aussi Web, WWW.

WAV. Format de fichiers audio numérisés créé par Microsoft et caractérisé par un échantillonnage exhaustif (sans perte d'information et/ou compression). La fréquence d'échantillonnage va de 11 KHz à 44 KHz, la numérisation peut s'effectuer avec 8 bits ou 16 bits et l'enregistrement peut se réaliser en mono ou en stéréo. Les fichiers créés selon ce format sont généralement de grande taille, ce qui rend difficile leur transmission sur l'Internet (il faut environ 10 Mo par minute de musique de qualité CD).

Voir aussi MIDI, Multimédia, Plug-in, EMBED, BGSOUND.

Web. *Web*, littéralement, c'est une araignée. Ce terme est un raccourci de *World Wide Web* aussi appelé *WWW*, qui indique la nature tentaculaire de ce système de communication implicite par liens hypertexte. Certains font remonter son concept à un rapport de Vannevar Bush, conseiller de Roosevelt, datant de 1945. Plus sérieusement, on s'accorde à reconnaître que c'est en 1965 que Ted Nelson conçut un logiciel d'hypertexte. En 1987, Apple proposait Hypercard, basé sur le principe de l'hypertexte. En mars 1989, Tim Berners-Lee publiait un article intitulé "Hypertexte et le CERN". En 1991, fonctionne, toujours au CERN, le premier Web. Depuis, on sait comment le Web a été le moteur de la croissance de l'Internet.

Voir aussi HTML, Hypertexte, SGML, W3C, WWW.

Webmaster. On désigne sous ce nom le responsable d'une présentation Web dont l'adresse e-mail figure généralement dans la page. Il faut se garder, sous prétexte de répudier le franglais, de traduire cette expression par *webmestre* (sur le modèle de *vaguemestre*) comme le font trop d'ignorants, car ce serait associer un mot anglais à un terme dérivé de l'allemand.

▶ *Voir aussi Hébergement.*

WWW. *World Wide Web* (toile d'araignée mondiale). *Voir Web.*

WYSIWYG. *What you see is what you get* (généralement raccourci, en français, en *tel écran, tel écrit*). On dit qu'un éditeur est WYSIWYG lorsque la mise en forme à l'écran de ce que saisit l'utilisateur est très proche de ce qui sera imprimé sur le papier ou (dans le cas du Web) affiché sur l'écran du visiteur.

▶ *Voir aussi Editeur HTML.*

XML. *Extensible Markup Language* (langage à balises extensible) a été créé dans l'intention de compléter HTML en lui apportant quelques-unes des fonctionnalités qui lui manquaient. La version la plus récente (1.3) date du 1er juin 1998. Le qualificatif "extensible" signifie que, contrairement à HTML, ce n'est pas un langage à format fixe, mais qu'il est capable de généraliser l'usage de SGML au Web en entier. Il s'agit donc en réalité d'un *métalangage* qui permet à tout un chacun de concevoir son propre langage, adapté à ses besoins particuliers. Il est lui-même écrit en SGML. Mi-98, aucun navigateur ne comprend directement XML.

Yahoo! Moteur de recherche qui est sans doute l'un des plus populaires (donc le plus utilisé) du Web. Son adresse est **http://www.yahoo.com** et il existe une antenne française à **http://www.yahoo.fr**.

▶ *Voir aussi Moteur de recherche.*

Annexes

A
Généralités sur les feuilles de style

Apparues en juillet 1997, presque en même temps que HTML 4, les feuilles de style constituaient une nouveauté appréciable, car elles réorientaient indirectement HTML vers la PAO, alors qu'initialement, ce langage était destiné davantage à représenter la structure sémantique des documents que leur mise en pages.

L'état de l'art

Le concept de "feuille de style" est très général et vise simplement à reproduire ce qui existe depuis longtemps dans les traitements de texte pour harmoniser la présentation des documents rédigés par des auteurs différents et qui ne se connaissent pas nécessairement. Mais comme il faut bien se préoccuper des détails d'application, le W3C a choisi un modèle de feuilles de style appelé CSS (*Cascading Style Sheets*, c'est-à-dire "feuilles de style en cascade").

Comme nous l'avons signalé dans l'Introduction, HTML et CSS sont deux ensembles disjoints dans lesquels les règles de syntaxe et de grammaire, et même le vocabulaire, sont différents. Logiquement, nous pourrions donc en rester là mais, sans descendre au même niveau de détail que pour HTML, nous pensons nécessaire d'esquisser à grands traits leurs possibilités et leur utilisation.

La première version, CSS1, sortie en juillet 1997, a fait l'objet d'une implémentation partielle, mais assez complète par Microsoft et on peut considérer qu'actuellement Internet Explorer reconnaît plus des trois quarts des spécifications de CSS1. Netscape, qui depuis quelque temps voit s'éroder ses parts de marché, a probablement d'autres soucis et a pris un retard marqué dans cette implémentation. On peut estimer à moins de 50 % la part du travail réalisé.

CSS1 avait l'avantage d'être assez dépouillé tout en permettant de réaliser des effets impossibles à obtenir avec le recours au seul HTML. Mais on n'arrête pas ainsi l'élan des comités et le W3C n'échappe pas à la règle. N'ayant visiblement pas tiré la leçon de l'échec essuyé par sa spécification HTML 3[1], le W3C a proposé en janvier 1998 CSS2, qui s'apparente actuellement plus à une pieuvre géante aux multiples tentacules agitées de mouvements désordonnés qu'à un projet réaliste. Bref, c'est ce qu'on appelle une "usine à gaz" !

Le dernier document publié par le W3C sur CSS2 porte la référence **http://www.w3.org/TR/1998/WD-css2-19980128** et date du 28 janvier 1998. Il est qualifié de *working draft*, c'est-à-dire de document de travail. Nous conservons donc l'espoir que le bon sens finira par reprendre le dessus et que des ciseaux bien aiguisés viendront élaguer tout ce qui n'est pas réellement utile dans ce projet.

Pour que le lecteur se fasse une idée de l'état de l'art en matière d'implémentation des feuilles de style, nous l'invitons à regarder les quatre copies d'écran des Figures A.1, A.2, A.3 et A.4 concernant la reproduction par Internet Explorer 4.0, Netscape Navigator 4.05, Amaya 1.3 et Opera 3.21 de la page de présentation de CSS1 sur le site du W3C. (Il s'agit là des versions les plus récentes qui étaient disponibles mi-juillet 98.)

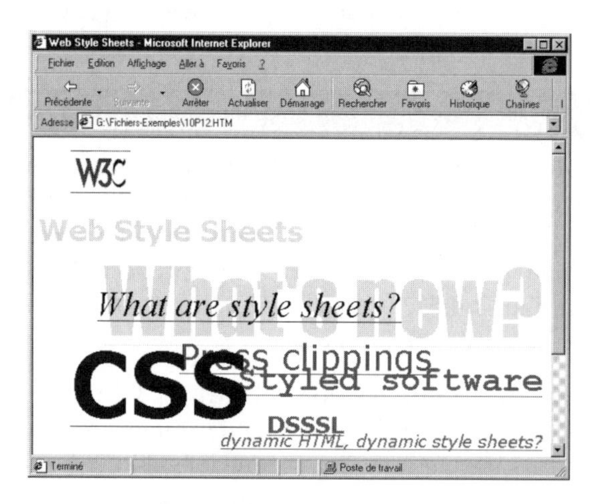

Figure A.1 : La page d'accueil de CSS du W3C, interprétée par Internet Explorer 4.0.

Dans tout ce qui suit, nous nous en tiendrons donc au sous-ensemble de CSS1 actuellement implémenté par Internet Explorer, le navigateur le plus en avance ("le moins en retard" serait sans doute plus exact) dans ce domaine.

1. Cette spécification était tellement vaste et complexe qu'elle n'a jamais été retenue par les éditeurs. Il a fallu plus d'un an pour que le W3C admette son échec et publie HTML 3.2, sous-ensemble de HTML 3 reprenant ce qui avait été retenu et implémenté sur le plan pratique.

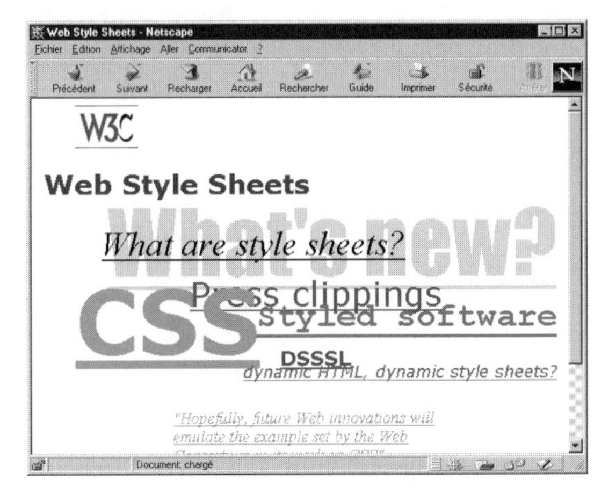

Figure A.2 : La page d'accueil de CSS du W3C, interprétée par Netscape Navigator 4.05.

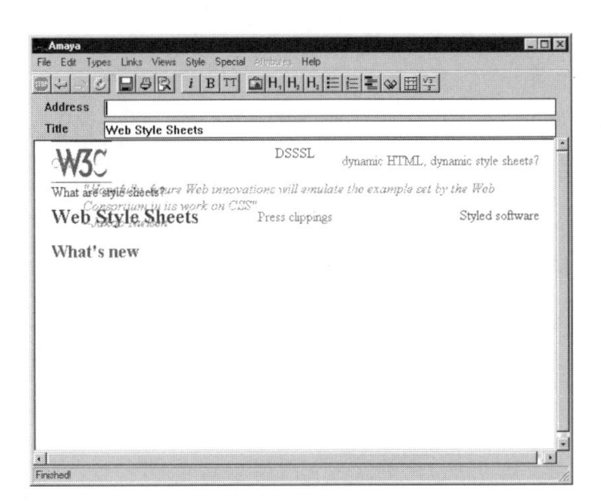

Figure A.3 : La page d'accueil de CSS du W3C, interprétée par le navigateur expérimental du W3C, Amaya 1.3.

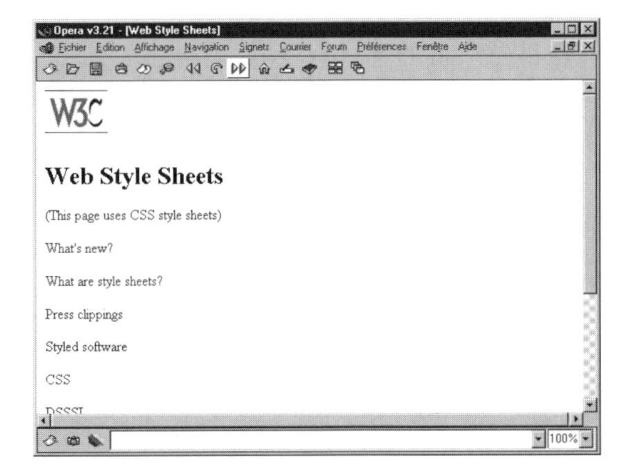

Figure A.4 : La page d'accueil de CSS du W3C, interprétée par Opera 3.21.

Liaison d'un document HTML avec une feuille de style

On peut appliquer un ensemble de règles de style à tout un document : c'est l'approche globale. Mais on peut aussi modifier ponctuellement l'apparence de tel ou tel élément isolé.

L'approche globale

Il y a deux façons d'appeler une feuille de style : l'incorporer au document ou y faire référence, comme on le fait d'un document HTML avec un appel de lien. Cette dernière méthode convient particulièrement au travail en groupe, puisque ainsi tout le monde travaille selon le même modèle.

Pour notre exposé, nous adopterons toutefois la première méthode qui a l'avantage pédagogique de centrer l'intérêt sur tel ou tel point particulier des feuilles de style. Pour cela, nous utiliserons la forme la plus simple de l'élément STYLE dont voici un exemple, illustré par la Figure A.5:

```
<HTML>
<HEAD>
<TITLE>Une feuille de style</TITLE>
<STYLE type="text/css">
H1 {font-family:courier new}
#soustitre {font-size:small}
</STYLE>
</HEAD>

<BODY>
Variations sur les polices
<H1>Titre "H1" affiché avec une police Courier New</H1>
Nous allons afficher deux sous titres.
<H2>Ce titre est un "H2" affiché avec la police par
➥défaut</H2>
<H2 id="soustitre">Ce titre est un "H2" affiché avec une
➥police plus petite</H2>
</BODY>
</HTML>
```

Les *règles de style* ainsi définies s'appliquent globalement au document, sauf si on y déroge ponctuellement.

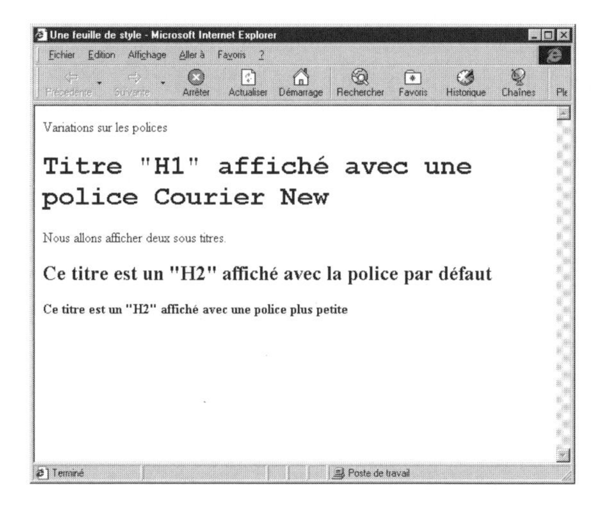

Figure A.5 : Quelques règles de style simples.

L'approche locale

Il y a plusieurs moyens de modifier ponctuellement l'aspect d'un élément HTML. On peut répartir les éléments d'un même document en différentes *classes* qui seront alors repérées par l'attribut `class`, ou particulariser un élément isolé au moyen d'un *identificateur* nommé par l'attribut `id`. Il est également possible d'utiliser l'attribut `style` (à ne pas confondre avec *l'élément* `STYLE`) en définissant une ou plusieurs règles de style, directement, à l'intérieur d'un élément.

Enfin, l'élément `SPAN` permet d'isoler une partie d'un paragraphe ou du contenu d'un élément `DIV` et d'y appliquer un style particulier.

Les règles de style

Une règle de style comprend deux parties :

- Le *sélecteur*, qui définit la portée de la règle. Il peut être formé de noms d'éléments, de classes ou d'identificateurs. Les premiers figurent tels quels, les seconds sont précédés d'un point et les derniers, d'un caractère dièse (#).
- Une liste entre accolades de définitions de *propriétés* séparées par des points-virgules. Les propriétés sont des couples "nom:valeur".

Note

Un même nom de classe peut apparaître dans des éléments disparate, alors qu'un identificateur est toujours unique. On peut le comparer sur ce point aux ancrages présents dans un document HTML

Les éléments

Un style peut s'appliquer à un élément ou à plusieurs éléments :

```
<STYLE type="text/css">
H1 {font-family:courier new}
P, DIV {color:red}
</STYLE>
```

signifie que tous les éléments `H1` seront affichés avec une police Courier New et que le contenu de tous les éléments `P` et `DIV` seront affichés en rouge. On peut faire des distinctions plus fines en écrivant :

```
<STYLE type="text/css">
P I {color:red}
</STYLE>
```

Remarquez l'absence de virgule entre les deux noms d'éléments. Cette règle signifie qu'à l'intérieur d'un élément `P`, et là seulement, tout ce qui est en italique (contenu dans un élément `I`) sera affiché en rouge. Ainsi, avec cette règle, dans :

```
<P>Le mot <I>amour</I> est du féminin au pluriel.</P>
```

"amour" sera affiché en italique et en rouge alors que dans :

```
<H4>Les couleurs <I>jaune</I> et bleu</H4>
```

"jaune" sera affiché avec la couleur par défaut (le noir, en général).

Les classes

Une classe sert, par exemple, à afficher de la même façon tout ce qui concerne un sujet particulier. Si, par exemple, on prépare une présentation Web ayant pour sujet une imprimante, la section consacrée à l'installation pourrait ainsi être affichée en vert, la section consacrée à l'utilisation en noir (couleur par défaut) et la section qui traite du dépannage, en rouge. Le code de la page se présenterait ainsi :

```
<STYLE type="text/css">
.installation {color:green}
.depannage {color:red}
</STYLE>
....
<DIV class="installation">
   ... tout ce qui concerne l'installation ...
</DIV>
<DIV>
   ... tout ce qui concerne l'utilisation ...
</DIV>
<DIV class="depannage">
   ... tout ce qui concerne le dépannage ...
</DIV>
```

Les identificateurs

Ils permettent de modifier localement un élément. Dans l'exemple ci-dessus, si on veut que, dans la section "Installation", la phrase suivante :

```
N'oubliez pas de vérifier que vous avez bien inséré correctement
➥le récipient contenant le tonner.
```

soit affiché en jaune sur fond noir, on ajoutera la règle suivante à l'élément STYLE :

```
#tonner {color:yellow; background-color:black}
```

et on encadrera ainsi la phrase :

```
<SPAN id="tonner">N'oubliez pas de vérifier que vous avez bien
➥inséré correctement le récipient contenant le tonner.</SPAN>
```

L'attribut style

Enfin, il existe un dernier moyen de particulariser un élément sans avoir recours à un identificateur : c'est d'y appliquer directement le style souhaité. Au lieu d'ajouter une règle dans l'élément STYLE, on aurait pu utiliser l'attribut `style` et écrire plus simplement :

```
<SPAN style="color:yellow; background-color:black">
➥N'oubliez pas de vérifier que vous avez bien inséré
➥correctement le récipient contenant le tonner.</SPAN>
```

Les conflits

Avec une telle diversité de moyens, on comprend qu'il puisse y avoir contradiction entre plusieurs règles, par exemple, lorsqu'on déroge localement à une règle qui a été définie dans l'élément STYLE. Sans entrer dans l'étude des problèmes d'héritage que peut poser ce type de conflit, disons qu'en général, c'est le dernier qui a parlé (c'est-à-dire la règle la plus intérieure) qui l'emporte.

Les propriétés

Les propriétés sont classées par famille, selon les types d'éléments auxquels elles s'appliquent. On peut les répartir ainsi : les blocs, le texte, les polices de caractères, les images, les arrière-plans et les listes.

Les valeurs

Si le couple {propriété:valeur} s'apparente au couple {attribut=valeur} que nous avons rencontré dans l'étude de HTML, il en diffère sur deux points importants :

- Alors que, dans un élément, les attributs sont séparés les uns des autres par un simple espace, dans une règle de style, c'est un point-virgule qui est utilisé.

- L'affectation d'une valeur à un attribut s'effectue au moyen du signe égale (=), alors que pour une propriété, c'est le caractère deux-points (:) qui est utilisé.

Selon la nature de la propriété, plusieurs types d'unité peuvent être utilisés.

Valeurs numériques

Elles s'expriment en système décimal, par des valeurs positives, négatives (lorsque, pour ces dernières, cela a un sens) ou nulles, entières ou fractionnaires. Les unités peuvent être absolues ou relatives.

- **Unités absolues.** Millimètres (`mm`), centimètres (`cm`), pouces (`inch`) ou pixels (`pixel`). Avec les polices de caractères, on utilise encore le point (`pt`)[1] et le pica (`pica`)[2].
- **Unités relatives.** Pourcentage (`%`), em (`em`) qui représente la taille de la police courante, et ex (`ex`) qui est la hauteur comprise entre la ligne de base et la partie la plus haute des caractères bas de casse dépourvus d'extension verticale (le "m", par exemple).

Couleurs

On retrouve les deux notations (nom de couleur et triplet RGB) que nous avons vues pour les éléments HTML, mais le triplet peut revêtir deux autres formes : `rgb(a, b, c)` où `a`, `b` et `c` représentent des nombres décimaux compris entre 0 et 255, et `rgb(a%, b%, c%)` où les trois valeurs représentent les pourcentages relatifs de chaque composante de couleur. Ainsi `rgb(128, 64, 0)` équivaut à `rgb (50%, 25%, 0%)`.

Mots clés

Certaines propriétés peuvent s'exprimer par des mots tels que `small`, `smaller`, `large`, `x-large`, `dotted`, `dashed`, etc. (petit, plus petit, grand, très grand, pointillé, en tirets).

Autres unités

La *graisse* d'une police de caractères, c'est-à-dire l'épaisseur du trait, s'exprime soit par des mots clés, soit par une série de nombres allant de `100` (le plus léger) à `900` (le plus gras). Les URL se notent d'une façon spéciale dont voici deux exemples, selon qu'il s'agit d'une URL externe ou d'une URL locale :

```
url(http://www.yahoo.fr)
url(monimage.jpg)
```

---

1. Le point typographique européen (ou *didot*) vaut 0, 376065 mm.
2. Le pica vaut 12 points, soit environ 4,5 mm.

Etude des différentes catégories de propriétés

Ce livre étant principalement consacré à HTML 4, nous n'avons pas la place de développer comme il conviendrait tout ce qui concerne les détails de mise en œuvre des feuilles de style. Nous avons donc préféré les illustrer par des exemples dont l'étude attentive sera instructive pour le lecteur.

Les blocs

Tout élément HTML peut être considéré comme placé à l'intérieur d'un bloc rectangulaire auquel sont attachées certaines propriétés. Ce bloc est en réalité formé de l'imbrication de trois rectangles d'inégales proportions selon le schéma de la Figure A.6.

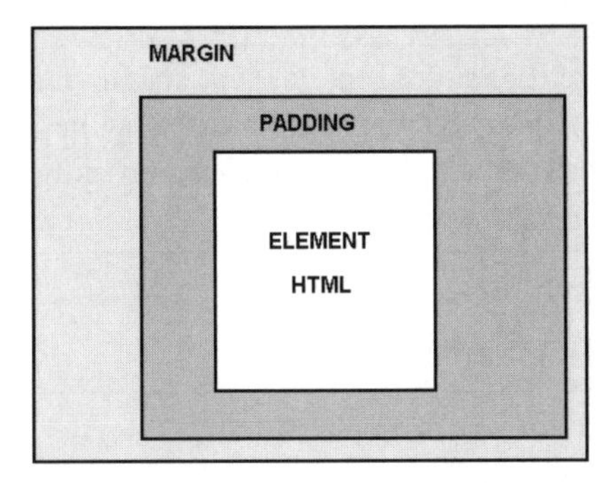

Figure A.6 : Constitution d'un bloc.

Au centre se trouvent les éléments HTML. (On peut toujours assembler plusieurs éléments HTML disparates dans un bloc unique en les encadrant par `<DIV>` ... `</DIV>`.) Vient ensuite la zone dite *padding* (ajustement), puis celle dite *margin* qui constitue la zone de *marge* proprement dite. Par défaut, ces deux zones sont d'épaisseur nulle. En outre, un bloc peut être entouré d'une bordure dont on peut définir la couleur, l'épaisseur et le type.

Les propriétés

Le Tableau A.1 présente les principales propriétés concernant les blocs :

Tableau A.1 : Principales propriétés concernant les blocs

Propriété	Description
`margin-top`	Marge supérieure
`margin-right`	Marge de droite
`margin-bottom`	Marge inférieure

Tableau A.1 : Principales propriétés concernant les blocs (*Suite)*

Propriété	Description
`margin-left`	Marge de gauche
`margin`	Suite de 4 valeurs représentant l'épaisseur des 4 marges
`padding-top`	Ajustement en haut
`padding-right`	Ajustement à droite
`padding-bottom`	Ajustement en bas
`padding-left`	Ajustement à gauche
`padding`	Suite de 4 valeurs représentant l'épaisseur des 4 ajustements
`border-style`	Type de bordure (`none`, `dotted`, `dashed`, `solid`, `double`, `groove`, `ridge`, `inset`, `outset`, c'est-à-dire aucune, en pointillé, en tirets, solide, double, en creux, en saillie, 3D vers l'avant, 3D vers l'arrière).
`border-color`	Couleur de la bordure
`border-width`	Epaisseur de la bordure
`border-top`	Bordure supérieure
`border-right`	Bordure de droite
`border-bottom`	Bordure inférieure
`border-left`	Bordure de gauche
`border`	Suite de 4 valeurs représentant l'épaisseur des 4 bordures
`width`	Largeur d'un bloc
`height`	Hauteur d'un bloc
`float`	"Flottaison" d'un bloc

Exemple

Pour illustrer l'application de ces propriétés, nous vous proposons le court exemple ci-dessous dont la Figure A.7 montre l'interprétation (correcte) de Internet Explorer et la Figure A.8 celle (douteuse) de Netscape Navigator.

```
<STYLE TYPE="text/css">
  P {background-color: yellow;
     text-align: justify;
```

```
      border-style:solid;
      border-width:1pt}
  P.b {padding: 5pt; margin:0}
  P.a {padding: 15pt; margin:10pt}
</STYLE>
</HEAD>

<BODY>
<DIV style="border-color:black; border-width:2pt;
➥border-style:solid">
<H1 style="background-color:black; color:yellow;  text-
➥align:center; padding-bottom:10">Padding et margin</H1>
<P CLASS="a">La comtesse, résolue à n'ouvrir plus les lèvres, à
ne plus changer d'attitude, ni même d'expression avant complet
épuisement du secret, écoutait imperturbablement le faux prêtre
dont peu à peu l'assurance s'affermissait.</P>

<P CLASS="b">La comtesse, résolue à n'ouvrir plus les lèvres, à
ne plus changer d'attitude, ni même d'expression avant complet
épuisement du secret, écoutait imperturbablement le faux prêtre
dont peu à peu l'assurance s'affermissait.
</P>
</DIV>
<HR>
</DIV>
```

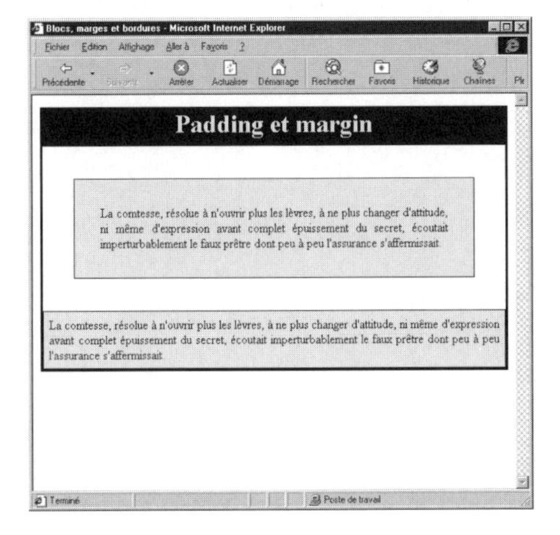

Figure A.7 : Internet Explorer interprète correctement les propriétés de bloc.

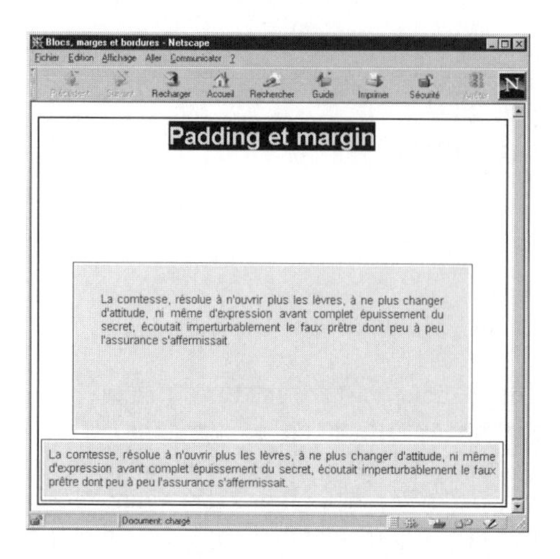

Figure A.8 : Netscape Navigator ne sait pas traduire correctement les propriétés de bloc.

La propriété float

La propriété `float` mérite qu'on s'y attarde. Nous avons expliqué dans la Partie III ce qu'était une image flottante. Avec HTML strict, seules les images ont le droit de flotter, c'est-à-dire d'être entourées par du texte. Les feuilles de style étendent cette particularité aux autres objets et c'est ainsi qu'on peut juxtaposer deux blocs de texte de façon plus souple qu'en utilisant un tableau. L'exemple suivant illustre la mise en œuvre de l'ensemble des propriétés de bloc, auxquelles nous avons joint la propriété `font-size` (corps de la police de caractères) que nous étudierons un peu plus loin. La Figure A.9 montre la mise en pages qui en résulte avec Internet Explorer.

```
<HEAD>
<STYLE type="text/css">
BODY {font-size: 14pt}
.agauche {float:left;
          width:70;
          text-align:right;
          font-size:10pt;
          padding-right:10}
.adroite {float:right;
          text-align:justify;
          padding-right:10;
          padding-left:10;
          border-style:solid;
          border-width:0 0 0 1}
H1 {text-align:center}
</STYLE>
</HEAD>
```

```
<BODY>
<H1>Un peu de littérature...</H1>
<SPAN class="agauche">Cet extrait des <I>Caves du
➥Vatican</I> nous montre un exemple typique du style
➥narratif d'André Gide.</SPAN>
<DIV class="adroite">La comtesse, résolue à n'ouvrir plus les
lèvres, à ne plus changer d'attitude, ni même d'expression avant
complet épuisement du secret, écoutait imperturbablement le faux
   [...]
Giordano Bruno, décidée, présidée par Crispi derrière qui
jusqu'alors s'était dissimulée la Loge.
</DIV>
```

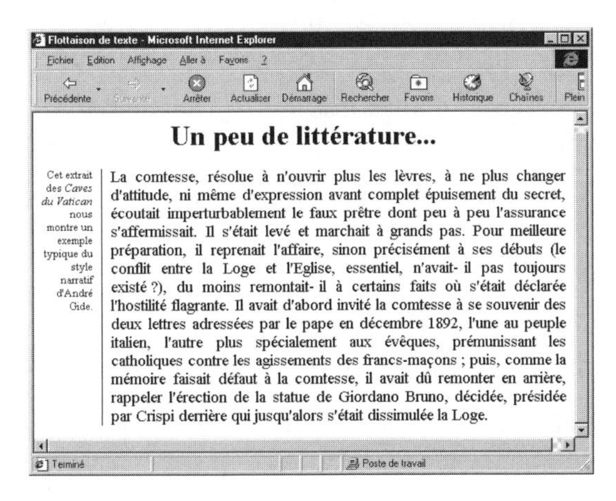

Figure A.9 : Mise en pages élaborée à l'aide de la propriété float.

Astuce

Une mise en pages de ce genre aurait pu être obtenue sans feuille de style avec l'élément TABLE, mais le trait vertical aurait posé quelques problèmes.

Le texte

Ces propriétés ne concernent que la mise en place du texte dans la page et la façon dont il est affiché, quelle que soit la police de caractères utilisée. Nous verrons dans la section suivante comment modifier la police utilisée et ses caractéristiques (corps, graisse, inclinaison). On peut non seulement réaliser avec les feuilles de style tout ce qu'on faisait jusqu'ici sans elles, mais aussi — tout au moins théoriquement — élaborer une présentation très proche de la PAO. Si nous disons "théoriquement", c'est que toutes les spécifications de CSS1 ne sont pas toujours implémentées. Le décalage vertical, en particulier, semble avoir posé d'insolubles problèmes aux navigateurs.

Les propriétés

Le Tableau A.2 présente les principales propriétés concernant le texte, dans lequel nous avons donc pris soin d'indiquer ce qui était effectivement réalisé.

Tableau A.2 : Principales propriétés concernant le texte

Propriété	Description	Implémentation
`word-spacing`	Espacement entre les mots	Ni l'un ni l'autre
`letter-spacing`	Espacement entre les lettres	Internet Explorer
`text-decoration`	Soulignement, surlignement, barré, clignotement	Les deux
`text-transform`	Majuscules, minuscules, initiale majuscule	Les deux
`text-align`	Alignement horizontal d'objets HTML	Les deux
`text-indent`	Rentrée de première ligne	Les deux
`vertical-align`	Décalage vertical	Presque aucun[1]
`line-height`	Contrôle de l'interligne	Les deux

1. Cette curieuse expression signifie que les deux protagonistes n'ont implémenté que très partiellement quelques-unes des possibilités de cette propriété, et pas toujours correctement.

Exemple

La Figure A.10 montre quelques exemples d'utilisation des propriétés du texte et les effets qu'on peut en obtenir avec Internet Explorer au moyen des commandes HTML ci-dessous :

```
<STYLE type="text/css">
BODY {font-size: 14pt}
#b {text-decoration: underline}
#d {text-transform: capitalize}
#e {text-transform: uppercase}
#g {vertical-align: super}
#h {vertical-align: sub}
#q {letter-spacing: 0.2em}
</STYLE>
</HEAD>
```

```
<BODY>

<P style="text-indent:10%">
<SPAN id="e">La comtesse,</SPAN>
résolue à
<SPAN id="q">n'ouvrir plus les lèvres</SPAN>,
<SPAN id="b">à ne plus changer d'attitude</SPAN>,
ni même d'expression
<SPAN id="d">avant complet épuisement </SPAN>
du secret,
<SPAN id="g">écoutait imperturbablement le faux prêtre
➥dont</SPAN>
peu à peu
<SPAN id="h">l'assurance s'affermissait.</SPAN>
</P>
```

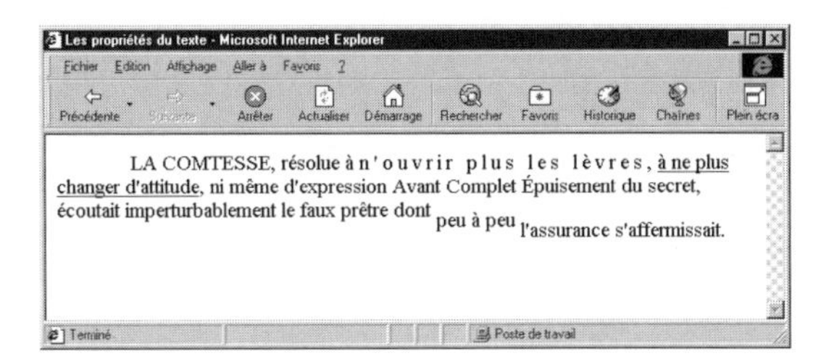

Figure A.10 : Quelques modifications de l'apparence du texte.

Les polices de caractères

Par défaut, les navigateurs utilisent deux polices : une police à pas fixe (généralement Courier) et une police proportionnelle (généralement Times Roman). Une option de configuration permet à l'utilisateur d'en choisir d'autres ainsi que de définir leur corps, ce qui est pratique lorsqu'on utilise un grand écran ou qu'on a mauvaise vue, mais qui nuit évidemment à l'homogénéité de perception d'un même document.

Les propriétés

Nous avons vu dans la Partie I qu'il était maintenant déconseillé par le W3C d'utiliser les deux éléments `BASEFONT` et `FONT`. Nous allons voir que les feuilles de style apportent davantage à l'auteur Web en ce qui concerne le choix des polices de caractères et de leurs paramètres. Le Tableau A.3 donne la liste des propriétés existantes.

Ici encore, Internet Explorer témoigne d'une implémentation presque complète alors que Netscape Navigator reste à la traîne.

Tableau A.3 : Propriétés concernant les polices de caractères

Propriété	Description
`font-family`	Famille de polices (`serif`, `sans-serif`, `monospace`, `cursive`, `fantasy`) ou police particulière
`font-style`	Trois styles : `normal`, `italic` et `oblique`
`font-size`	Corps (taille) de la police
`font-variant`	Affichage normal ou en petites capitales
`font-weight`	Graisse ("poids") de la police. Valeur numérique ou mot clé

Exemple

La Figure A.11 montre quelques exemples d'utilisation des propriétés relatives aux polices de caractères et les effets qu'on peut en obtenir avec Internet Explorer au moyen des commandes HTML ci-après.

```
<STYLE type="text/css">
P  {text-align:justify}
H1 {text-align:center;
    font-family:monospace}
</STYLE>
</HEAD>

<BODY>
<H1>Mais que fait la police ?</H1>
<P style="font-family: fantasque,comic sans ms,verdana;
   font-size:14">
La comtesse, résolue à n'ouvrir plus les lèvres, à ne
➥plus changer d'attitude, ni même d'expression avant
<SPAN style="font-size:large">complet épuisement du
➥secret,</SPAN>
écoutait imperturbablement le faux prêtre dont peu à peu
l'assurance s'affermissait. Il s'était levé et marchait
➥à grands pas.
</P>

<P style="font-family:sans-serif; font-size:16">
Pour meilleure préparation, il reprenait l'affaire,
<SPAN style="font-weight:600">sinon précisément à ses
➥débuts</SPAN>
<SPAN style="font-style:italic">(le conflit entre la Loge et
➥l'Eglise, essentiel, n'avait-il pas toujours existé ?),</SPAN>
du moins remontait-il à
<SPAN style="font-variant:small-caps">certains faits </SPAN>
où s'était déclarée l'hostilité flagrante.
</P>
```

```
<P style="font-family:fantasy; font-size:20; line-height:1.5">
Il avait d'abord invité la comtesse à se souvenir des deux
➥lettres adressées par le pape en décembre 1892, l'une au
➥peuple italien,l'autre plus spécialement aux évêques.
</P>
```

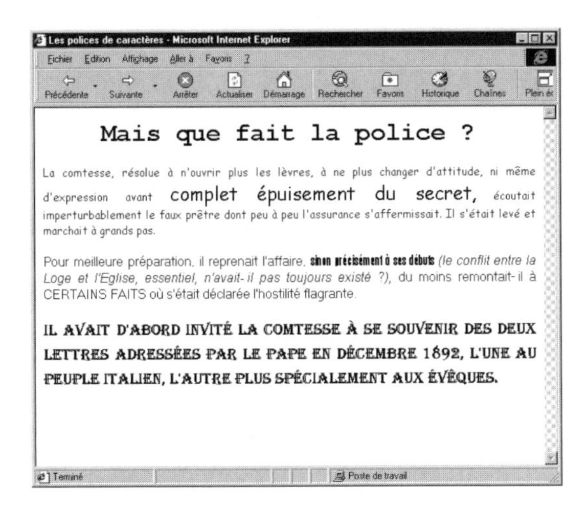

Figure A.11 : Différents effets obtenus au moyen des propriétés relatives aux polices de caractères.

Note

Il n'est sans doute pas inutile de rappeler que l'abus de fantaisies, comme celui dont témoigne la Figure A.11, est à déconseiller formellement sur le plan de l'esthétique.

Les images

Si l'élément `IMG` a été conservé par HTML 4, il a été néanmoins complété par l'élément, plus général, ayant pour nom `OBJECT`. Il n'existe donc pas de propriété spécifique pour les images et on utilise quelques-unes des propriétés que nous avons vues : `width`, `height`, `text-align` et `color`.

Les arrière-plans

Les feuilles de style apportent de nouvelles possibilités tant en ce qui concerne la couleur unie d'arrière-plan que l'utilisation d'images en fond de page. Dans le premier cas, il est maintenant possible d'appliquer, dans une même page, une couleur d'arrière-plan différente pour des blocs individuels. Pour les fonds de pages, l'image choisie n'est plus nécessairement répétée par effet de mosaïque.

Les propriétés

Rappelons l'existence de la propriété `color` qui s'applique aux éléments du texte. Le Tableau A.4 donne la liste des propriétés existantes.

Tableau A.4 : Propriétés concernant les arrière-plans

Propriété	Description
`background-color`	Définit la couleur unie d'arrière-plan (celle-ci peut être transparente)
`background-image`	Spécifie l'URL de l'image à utiliser
`background-repeat`	Définit le mode de répétition de l'image de fond (`repeat`, `repeat-x`, `repeat-y`, `no-repeat`)
`background-attachment`	Contrôle le déplacement du décor de fond par rapport aux objets présents dans la page (`scroll`, `fixed`)
`background-position`	Contrôle la mise en pages précise de l'image
`background`	Regroupe en une seule propriété les spécificités des cinq précédentes

La plupart de ces propriétés ne sont pas reconnues par Netscape Navigator.

Exemple

L'exemple ci-dessous (dont la Figure A.12 reproduit la présentation) montre comment on peut superposer différents objets HTML sur un même écran grâce à une bonne utilisation des propriétés. C'est intentionnellement que certains défauts apparaissent sur cette figure (par exemple, le texte qui déborde sur le fond uni).

```
<STYLE type="text/css">
BODY {background-image:url("3.jpg");
      background-repeat:no-repeat;
      background-position:30 20;
      background-color:rgb(240, 120, 220);
      color:white;
      font-size:24}
   P {text-align:justify;
      margin-top:50}
 IMG {margin-left:40%}
  H1 {text-align:center;
      margin-top:35;
      font-family:monospace}
```

```
</STYLE>
</HEAD>

<BODY>
<H1>Une rencontre d'anciennes</H1>
<IMG src="fiv.gif">
<HR style="width:20%; color:lightblue; height:15">

<P>
C'est dans le château de Vaugrigneuse qui fut la propriété d'un
médecin de Louis XIII (mais qui a malheureusement subi, depuis,
un certain nombre de restaurations maladroites) qu'avait lieu
le rassemblement annuel des voitures et motos anciennes,
ce 13 juin.
</P>
```

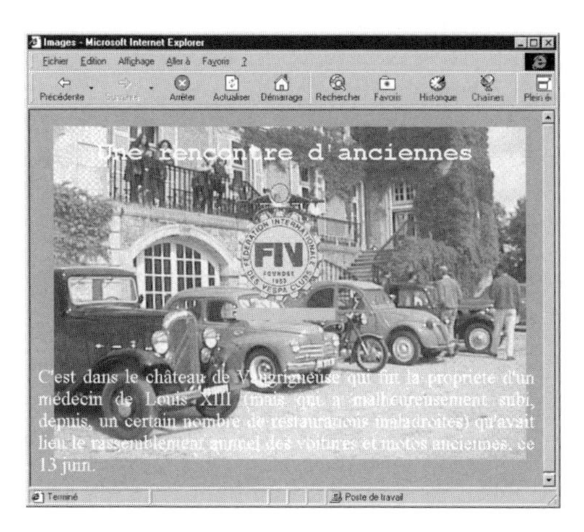

Figure A.12 : En jouant avec les propriétés des couleurs d'arrière-plan et celles que nous avons étudiées dans les sections précédentes, on parvient à une mise en pages précise.

Les listes

Curieusement, les listes ont bénéficié d'un semblant d'attention de la part des auteurs de CSS1, alors que tableaux et formulaires sont restés à l'abri de leurs préoccupations. Si nous disons "semblant", c'est que, comme nous allons le voir, les quatre propriétés spécifiques des listes ne permettent pas de fixer la valeur initiale d'une liste numérotée comme le faisait l'attribut `start` de l'élément `UL`, maintenant "démonétisé". Conclusion : n'en déplaise au W3C, il faudra bien passer outre à ses recommandations et continuer d'utiliser cet attribut si on veut numéroter une liste à partir de 4 au lieu de 1.

Les propriétés

Finie la distinction entre listes ordonnées et listes à puces, c'est maintenant une même propriété qui va définir le type de repère à afficher à gauche de chaque article : `list-style-type`. Le Tableau A.5 présente les propriétés attachées aux listes.

> **Note**
> Rien n'existe pour les listes de glossaire dans CSS1.

Tableau A.5 : Propriétés concernant les listes

Propriété	Description
`list-style-type`	Définit le type de repère qui sera affiché à gauche de chaque article
`list-type-position`	Précise si le repère des articles sera en retrait négatif ou aligné avec la marge gauche
`list-type-image`	Permet de remplacer le repère standard par une image appropriée
`list-style`	Regroupe en une seule propriété les possibilités des trois précédentes

Netscape Navigator ne reconnaît qu'imparfaitement ces propriétés.

Exemple

La Figure A.13 montre quelques exemples de traitement de listes effectués à l'aide des commandes HTML ci-dessous. On remarquera le léger décalage vers la gauche provoqué par l'usage de la propriété `list-style-position` dans la première sous-liste du second exemple.

```
<STYLE type="text/css">
H2 {text-align:center;
    font-family:sans-serif}
.un   {list-style-image:url(plus.gif)}
OL OL{list-style-type:upper-alpha}
</STYLE>
</HEAD>
```

```
<BODY>
<H2>Poids du cerveau de l'imbécile</H2>
<OL class="un">
<LI style="list-style-image:url(blanc.gif)">520 g de certitude
<LI>200 g de vulgarité
<LI>430 g d'autosatisfaction
<LI>250 g d'excipient
<LI style="list-style-image:url(egal.gif)">1 400 g
</OL>
<P style="text-align:right">Extrait de <I>Arithmétique
➥appliquée et impertinente</I>
<BR> par Jean-Louis Fournier
</P>

<H2>Petit musée du bizarre</H2>
<OL style="list-style-type:decimal">
  <LI>Horlogerie
  <OL style="list-style-position:inside">
    <LI>Remontoir à came épicycloïdale
    <LI>Balancier en forme d'escarpolette, dit "de Messager"
    <LI>Echappement de Latude
  </OL>
  <LI>Discours de comices agricoles
  <LI>Articles pour ménagerie
  <OL>
    <LI>Collier à cliquet pour crotale
    <LI>Couronne pour lion superbe et généreux
    <LI>Echelle pour chat perché
    <LI>Vistemboir pour hippocampéléphantocamélos
  </OL>
  <LI>Crâne de Voltaire enfant
  <LI>Tasse avec anse à gauche pour gaucher
</OL>
```

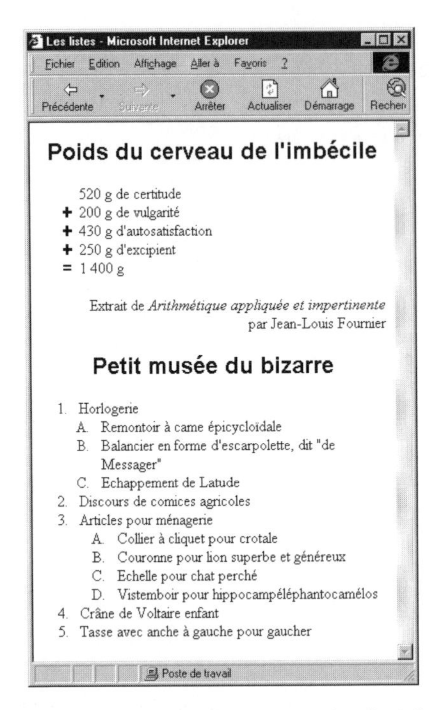

Figure A.13 : Quelques exemples d'application des propriétés de listes.

Autres propriétés

Il existe deux autres propriétés, inclassables, et que ni Internet Explorer, ni Netscape Navigator, ne traduisent correctement. L'une, `display`, permet de rendre certains éléments invisibles, bien qu'ils continuent d'occuper de la place dans la page. L'autre, `white-space`, permet de reproduire ce qu'on obtient avec l'élément `PRE` (la reconnaissance des multiples espaces consécutifs, des tabulations et des retours chariot en tant que tels).

Un style plutôt relâché

Un an après l'annonce de CSS1, force est de constater que Internet Explorer et Netscape Navigator en sont au même point, n'améliorant en rien leurs performances et présentant chacun les mêmes lacunes.

Alors, l'auteur Web peut-il raisonnablement les utiliser pour ses pages Web ? N'oublions pas que nombreux sont encore ceux qui continuent d'utiliser Netscape Navigator ou Internet Explorer dans leurs versions 2.0. Aussi nous semble-t-il que les éléments dont l'emploi est déconseillé par le W3C ont encore de beaux jours devant eux !

B

La filiation de HTML (Dynamic HTML, XML et MathML)

Pourquoi Dynamic HTML ?

HTML a été conçu comme un moyen statique de présenter des informations, l'idée principale, sinon unique, étant de créer des liens hypertexte permettant d'explorer un grand nombre de documents situés un peu partout sans trop se préoccuper de leur présentation, mais de façon à préserver leur structure logique et sémantique. Ce n'est que progressivement que l'on a enrichi HTML, d'abord avec des images, ensuite avec des formulaires, enfin avec le multimédia. Pour réaliser une page dont le contenu se modifie selon le désir de l'utilisateur, on a donc d'abord recouru aux scripts CGI qui avaient deux inconvénients : une charge supplémentaire non négligeable du serveur et de l'Internet, et la nécessité de connaître un minimum de notions de programmation. En outre, bon nombre de fournisseurs d'accès n'acceptent toujours pas, pour des raisons de sécurité, qu'on vienne déposer des scripts CGI sur leur disque dur.

C'est avec les versions 4 de Internet Explorer et de Netscape Navigator qu'on a commencé à voir les premières réalisations concrètes de Dynamic HTML. Si l'idée était la même (rendre les pages Web dynamiques en leur permettant de se modifier au gré de l'utilisateur), les techniques mises en œuvre, bien que reposant toutes deux sur le principe d'un langage script analogue à ce qui existait déjà avec JavaScript, étaient malheureusement divergentes. Déjà ébréchée avec les feuilles de style en cascade, la possibilité d'afficher le même écran avec les deux navigateurs connaissait là une fracture définitive.

Dès lors, on peut se demander dans quelle mesure il est raisonnable de saupoudrer ses pages Web avec quelques pincées de Dynamic HTML. Comme nous allons le voir, l'attitude du développeur Web prudent serait plutôt "Wait and see ![1]".

Note

Il faudrait un livre d'au moins 600 pages pour rendre compte de tout ce que permet Dynamic HTML. C'est en tout cas l'épaisseur de deux ouvrages parus aux Etats-Unis au début de l'année 1998. On nous excusera donc de nous limiter ici à un survol de ce sujet, si passionnant soit-il.

L'approche de Microsoft

Pour modifier une page, il faut commencer par mettre en place avec précision les éléments qui s'y trouvent. Ensuite, il faut les déplacer ou les modifier. Les objets sont toujours de forme rectangulaire et sont repérés par la position de leur coin supérieur gauche.

Le positionnement des objets

Nous allons retrouver ici les feuilles de style que nous avons survolées à l'Annexe A. Quelques nouvelles propriétés viennent s'y ajouter. La position des objets est définie par un système de coordonnées cartésiennes dans le plan, c'est-à-dire avec une abscisse et une ordonnée. Par convention, le sens des abscisses croissantes est le traditionnel "gauche vers droite", mais le sens des ordonnées est à l'inverse de nos habitudes : du haut vers le bas. Nous verrons qu'une troisième dimension va s'y ajouter, concrétisée par la superposition et la visibilité.

La propriété position

Elle peut prendre les trois valeurs suivantes :

- `absolute`. L'objet est situé par rapport à la fenêtre du navigateur, en prenant comme origine le coin supérieur gauche.
- `relative`. La position de l'objet est définie par rapport au point où il aurait été mis en place en l'absence de toute indication de positionnement.
- `static`. L'objet est mis en place au point courant, comme si on avait spécifié `relative` avec le point de coordonnées (0, 0).

1. "Attendre et voir."

Les propriétés de coordonnées

Elles sont au nombre de deux :

- `left`. Abscisse du coin supérieur gauche de l'objet.
- `top`. Ordonnée du coin supérieur gauche de l'objet.

Elles s'expriment en pixels.

Les propriétés de dimensionnement

Nous retrouvons les deux propriétés que nous connaissons bien pour les images :

- `width`. Largeur de la fenêtre ou de l'objet.
- `height`. Hauteur de la fenêtre ou de l'objet.

Elles s'expriment en pixels.

Exemples

La Figure B.1 montre un exemple simple de positionnement absolu de deux objets : une fenêtre de texte et une image, obtenu avec les commandes HTML suivantes :

```
BODY {background-color:peachpuff}
#texte {position:absolute;
        left:100;
        top:70;
        width: 350;
        height: 150;
        background-color:blanchedalmond;
        color:navy;
        text-align:justify;
        font-size:10pt}

#image1{position:absolute;
        left:400;
        top:40}
</STYLE>
</HEAD>

<BODY>
<IMG src="timbre1.gif" id="image1">
<DIV id="texte">
La pendule marquait deux heures et demie : la foule bigarrée et
compacte, qui associait des faces bistre, écarlates et roses, se
    [...]
manifestée semblait mériter qu'elles engageassent la
conversation.
</DIV>
```

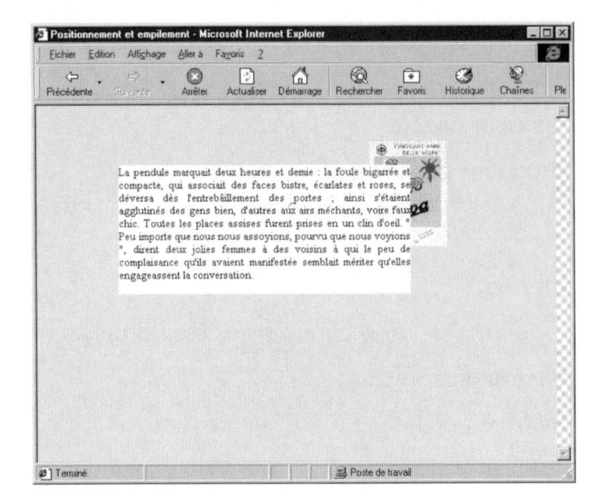

Figure B.1 : Exemple de positionnement relatif d'objets.

Comme on peut le remarquer, une partie de la première zone est masquée par la seconde. Si on avait placé l'élément `IMG` après l'élément `DIV`, ce serait le contraire. Il est donc important de placer les objets dans un ordre précis. On peut contourner cette difficulté en jouant sur l'empilement des différents objets, c'est-à-dire en indiquant explicitement celui qui doit être au-dessus (dont la totalité sera visible) et ceux qui doivent se situer au-dessous et qui seront donc progressivement masqués en cas de recouvrement par les objets situés au-dessus d'eux.

La Figure B.2 illustre le recouvrement résultant de la mise en place d'un objet (ici quelques mots de texte) par rapport au point où il serait normalement apparu. L'abscisse négative entraîne l'affichage du texte commençant par "///" par-dessus les mots "l'église", déjà affichés.

```
Les orgues de l'église<SPAN style="position:relative; top:0;
left:-70">///////// la cathédrale sont célèbres.</SPAN>
```

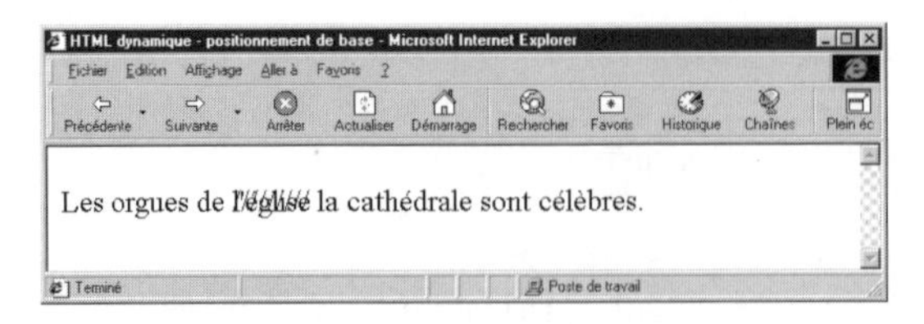

Figure B.2 : Effet de recouvrement avec un positionnement relatif et une abscisse négative.

Note

Netscape Navigator reconnaît quelques-unes des propriétés que nous venons de voir, mais il les gère de façon plus qu'approximative.

La visibilité des objets

Deux propriétés gouvernent la visibilité des objets :

- `visibility`. Permet de cacher entièrement un objet.
- `z-index`. Définit l'ordre d'empilement des objets, c'est-à-dire lesquels seront totalement ou partiellement masqués par ceux qui sont dans une couche supérieure.

La première propriété permet de rendre un texte invisible, par exemple la réponse à une question dans une présentation d'autoformation, lorsque l'élève veut vérifier sa réponse. En voici un exemple, illustré par la Figure B.3, après que l'élève a demandé à voir la troisième réponse.

```
<HTML>
<HEAD>
<TITLE>HTML dynamique - La propriété visibility</TITLE>
<STYLE type="text/css">
H2 {color:blue; font-family:"comic sans ms"; text-align:center}
</STYLE>

<SCRIPT language="javascript">
function sol(q)
{ switch(q)
  { case 1 : r1.style.visibility = "visible"
             break;
    case 2 : r2.style.visibility = "visible"
             break;
    case 3 : r3.style.visibility = "visible"
             break;
  }
}

</SCRIPT>
</HEAD>

<BODY>
<H2>3 questions sur les images en HTML</H2>
1. Quels sont, parmi les formats d'image suivants ceux qui sont
couramment employés dans une page Web
(BMP GIF JPG PCX PNG TIF) ?
<P id="r1" style="visibility:hidden; color:red">GIF, JPEG et
PNG</P>
```

```
2. Comment faire pour que les utilisateurs qui ont désactivé le
chargement des images dans leur navigateur puissent avoir une
idée de ce que représente une image ?
<P id="r2" style="visibility:hidden; color:red">Utiliser
l'attribut <U>alt</U> suivi d'un court texte explicatif.</P>
3. Quel est le format d'image utilisé sur le Web et qui convient
le mieux pour les images photographiques et pourquoi ?
<P  id="r3" style="visibility:hidden; color:red">JPEG, car il
peut représenter davantage que 256 couleurs et se prête mieux à
la représentation des images contenant un grand nombre de petits
détails </P>
<HR>

<FORM>
<B>Cliquez ici pour voir les solutions :</B>
<BUTTON type="button" onclick="sol(1)">Question 1</BUTTON>
<BUTTON type="button" onclick="sol(2)">Question 2</BUTTON>
<BUTTON type="button" onclick="sol(3)">Question 3</BUTTON>
</form>

</BODY>
</HTML>
```

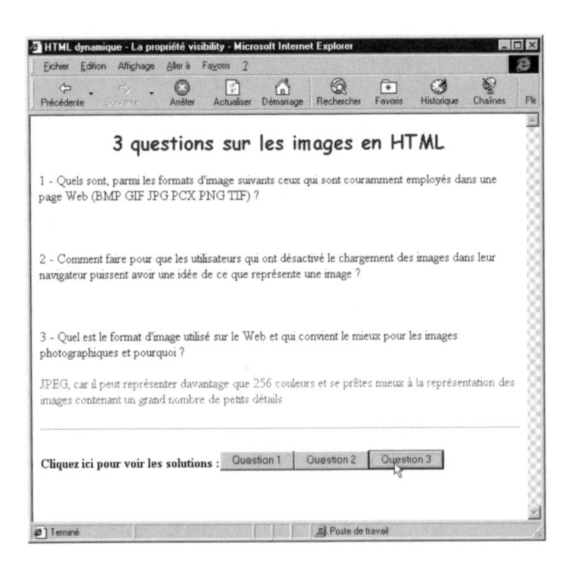

Figure B.3 : Application pratique de la propriété visibility *à un questionnaire d'autoformation.*

Comme on le voit, les objets invisibles occupent leur place normale à l'écran. Lorsque c'est du texte, tout se passe comme s'ils étaient écrits à l'encre sympathique.

Le déplacement des objets

Maintenant que nous avons vu comment définir avec précision la position et la visibilité des objets, il nous faut voir comment on peut les déplacer. Pour cela, on doit recourir à un langage de script comme JavaScript ou Visual Basic Script et il faut avoir quelques rudiments de programmation. Par bonheur, ces langages sont très faciles à apprendre. On est très loin du caractère abscons de Java. (JavaScript n'est pas du Java "décaféiné".) Quiconque a déjà aligné quelques lignes de BASIC n'aura aucun mal à se débrouiller avec ces deux langages. Pour simplifier, tous les exemples donnés ici utiliseront JavaScript.

> **Note**
>
> Nous n'avons pas la place ici d'expliquer la programmation en JavaScript, aussi nous contenterons-nous de commenter les actions effectuées par les routines appelées.

D'une façon générale, un déplacement d'objets sur l'écran peut être commandé par l'utilisateur ou s'effectuer automatiquement au cours du temps, au moyen d'un chronomètre logiciel qui effectue une action périodiquement, par exemple toutes les 30 millisecondes. Dans le premier cas, on fait appel à la gestion des événements intrinsèques que nous avons rencontrés dans la Partie II : `onclick`, `onmousedown`, `on blur`, etc. Ces événements peuvent être déclenchés par divers mouvements de souris ou, plus simplement, par un clic sur un bouton de formulaire. A cette occasion, nous allons voir qu'il est possible, dans ce cas, de supprimer impunément l'attribut `action` dans l'élément `FORM`.

Reprenant l'exemple de la Figure B.1, nous allons déplacer le timbre entre deux positions extrêmes et le placer au-dessous ou au-dessus du texte au moyen de deux boutons, en ajoutant le petit programme JavaScript ci-dessous dans la section `HEAD`, et l'élément `FORM` dans la section `BODY`. Les Figures B.4 et B.5 montrent deux des quatre cas de figure qui en résultent.

```
<SCRIPT language="javascript">
k=0
function bouge()
{ texte.style.zIndex=k
  image1.style.zIndex=1-k
  k=1-k
}
function glisse()
{ if (image1.style.posLeft == 350)
  { image1.style.posLeft=50
    image1.style.posTop=100
  }
```

```
   else
   { image1.style.posLeft=350
     image1.style.posTop=40
   }
}
</SCRIPT>
   [...]
<FORM>
<BUTTON type="button" onclick="bouge()">Modifier
➥l'empilement</BUTTON>
<BUTTON type="button" onclick="glisse()">Faire glisser</BUTTON>
</form>
```

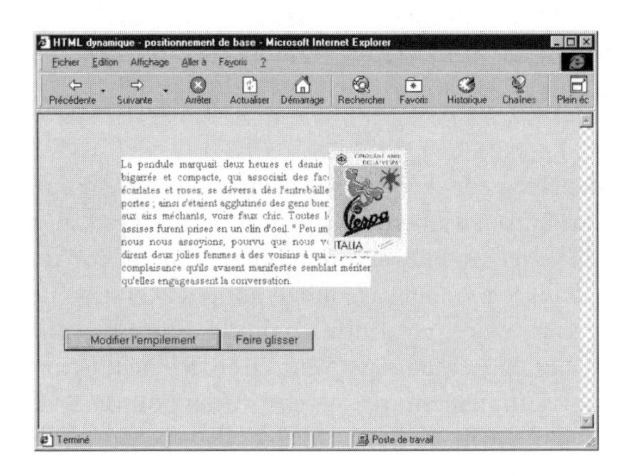

Figure B.4 : Position initiale des objets.

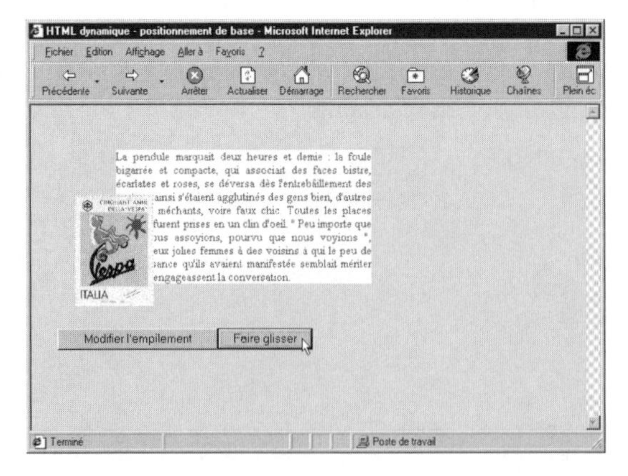

Figure B.5 : Position des objets après un clic sur le bouton "Faire glisser".

Lorsque l'utilisateur clique sur le bouton "Faire glisser", il déclenche l'événement `onclick` qui appelle la routine `glisse()` dans laquelle on regarde, par l'instruction `if`, quelle est la position du timbre. Si l'abscisse (`posLeft`) vaut 350, on en modifie les coordonnées qui deviennent (50, 100). Si ce n'est pas le cas (instruction `else`), on le ramène à l'ancienne position (250, 40).

Lorsque l'utilisateur clique sur le bouton "Modifier l'empilement", il s'ensuit une modification de la valeur de la propriété `z-index` des deux objets qui permute cette dernière dans chacun d'eux. Cette propriété est donnée par la variable `k`. (Il est facile de vérifier que chaque fois qu'on exécute l'instruction `k = 1 - k` avec une valeur initiale égale à 0, on obtient cycliquement 0, 1, 0, 1...).

Dans une fonction JavaScript, on peut accéder aux différentes propriétés des objets en utilisant leur nom *entièrement qualifié*. Par exemple : `image1.style.posLeft` signifie "propriété `left` de l'image1". Les mots désignant la propriété doivent être orthographiés strictement, en respectant leur casse.

Et c'est tout ! Dans un cas comme dans l'autre, on remarquera l'économie de moyens que permet JavaScript.

Nous allons donner un autre exemple, montrant comment on peut réagir à des actions de l'utilisateur plus élaborées qu'un simple clic. Nous allons nous proposer de faire apparaître le timbre à l'emplacement où aura cliqué l'utilisateur. Si, en outre, il avait préalablement enfoncé la touche <Alt>, le timbre passera au-dessous du texte. Voici le document HTML qui permet de réaliser cette opération :

```
<HTML>
<HEAD>
<TITLE>HTML dynamique - Suivi du pointeur</TITLE>
<STYLE type="text/css">
#texte {position:absolute;
        left:100;
        top:50;
        width: 300;
        height: 150;
        z-index:0;
        color:green;
        background-color:blanchedalmond;
        text-align:justify}
#image1{position:absolute;
        left:350;
        top:40}
</STYLE>

<SCRIPT language="javascript">
k=0
function deplacer()
{ image1.style.posLeft = window.event.clientX
  image1.style.posTop = window.event.clientY
```

```
    if (window.event.altKey)
     image1.style.zIndex = -1
    else image1.style.zIndex = 1
}
</SCRIPT>
</HEAD>

<BODY onclick="deplacer()">
<IMG src="timbre1.gif" id="image1">

<DIV id="texte">
La pendule marquait deux heures et demie : la foule bigarrée et
compacte, qui associait des faces bistre, écarlates et roses, se
   [...]
engageassent la conversation.
</DIV>

</BODY>
</HTML>
```

Comme on doit pouvoir détecter le clic de souris à n'importe quel moment, c'est dans l'élément `BODY` que nous avons placé l'instruction `onclick`. Elle appelle la fonction JavaScript `deplacer()` dans laquelle on fixe la position du timbre au point de coordonnées (`window .event.clientX`, `window.event.clientY`). On teste ensuite la valeur de la variable prédéfinie `window.event.altKey` qui est vraie si la touche <Alt> est enfoncée. Si c'est le cas, on modifie la valeur de la propriété `z-index` du timbre pour qu'elle soit inférieure à la valeur du `z-index` de l'objet `texte`. De cette façon, le timbre sera masqué par le texte.

> **Note**
> Bien entendu, cet exemple ne fonctionne pas avec Netscape Navigator.

Les filtres

Les filtres constituent une autre caractéristique importante de Dynamic HTML, tel que l'a implémenté Microsoft. Il s'agit d'opérateurs permettant de modifier considérablement l'aspect d'un objet en lui faisant subir un traitement complexe. Il en existe plus d'une douzaine. On peut les utiliser d'une façon dynamique ou statique.

Filtrage dynamique

Le programme JavaScript ci-dessous illustre la façon dont on peut les utiliser dynamiquement dans une page Web. On remarquera que pour revenir à l'état initial d'une image, il suffit de définir un filtre vide ("").

```
<HTML>
<HEAD>
<TITLE>HTML dynamique - Filtres</TITLE>
<STYLE type="text/css">
#image1{position:absolute;
        left:150;
        top:100}
</STYLE>

<SCRIPT language="javascript">
k=0
n=0
p=0
q=0
function gris()
{ if (p == 0)
   image1.style.filter = "Gray()"
  else
   image1.style.filter =""
  p = 1 - p
}

function flou()
{ if (q == 0)
   image1.style.filter = "Blur(Add=0, Direction=300,
   ➥Strength=10)"
  else
   image1.style.filter = ""
  q = 1 - q
}

function renverse()
{ if (k == 0)
   image1.style.filter = "FlipV()"
  else
   image1.style.filter = ""
  k = 1 - k
}

function inverse()
{ if (n == 0)
   image1.style.filter = "Invert()"
  else
   image1.style.filter = ""
  n = 1 - n
}

</SCRIPT>
</HEAD>
```

```
<BODY>
<IMG src="timbre1.gif" id="image1">

<FORM>
<BUTTON type="button" onclick="gris()">Gamme<BR>de gris</BUTTON>
<BUTTON type="button" onclick="flou()">Flou<BR>
artistique</BUTTON>
<BUTTON type="button" onclick="renverse()">Renverser
➥<BR>l'image</BUTTON>
<BUTTON type="button" onclick="inverse()">Inverser<BR>
➥les couleurs</BUTTON>
</form>

</BODY>
</HTML>
```

La même technique est employée pour les quatre filtres commandés par un clic sur un des quatre boutons, de façon qu'on puisse revenir à l'état initial de l'image. Ces effets ne sont pas cumulatifs, c'est-à-dire qu'après avoir cliqué successivement sur les boutons "Gamme de gris" et "Renverser l'image", on n'obtiendra pas une image retournée en gamme de gris. La Figure B.6 montre l'effet obtenu. Cette figure n'est pas une véritable copie d'écran : avec un éditeur graphique ; nous avons placé côte à côte, en les décalant, le résultat de trois des effets (comme le livre est imprimé en noir et blanc, l'effet "Gamme de gris" n'aurait pas été visible, aussi l'avons-nous omis).

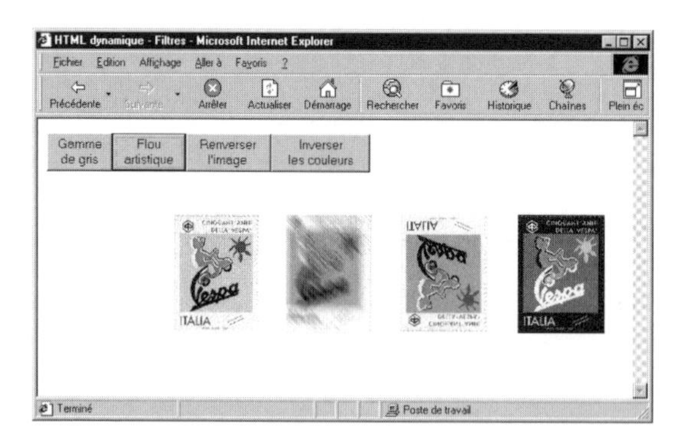

Figure B.6 : Quelques effets obtenus à l'aide de filtres appliqués dynamiquement.

Filtrage statique

En incorporant l'appel du filtre dans un attribut `style` d'un élément HTML, l'effet apparaît automatiquement lors du chargement de la page. Pour changer, nous avons choisi d'appliquer quatre filtres sur du texte. La Figure B.7 montre le résultat qu'on obtient à l'aide du document HTML ci-dessous :

```
<HTML>
<HEAD>
<TITLE>HTML dynamique - Filtres statiques</TITLE>
<STYLE type="text/css">
BODY {backgroundcolor:beige}
</STYLE>
</HEAD>
<BODY>
<DIV style="font-size:24pt; width:100%; color:green;
➥height:80; text-align:center">
Quelques effets de filtres sur le texte</DIV>
<DIV style="font-size:36pt; width:100%; color:green;
➥filter:Shadow(color=#EEAA00, Direction=45);">
Filtre Shadow</DIV>

<DIV style="font-size:36pt; width:100%; color:green;
➥filter:Wave(Add=0, Freq=2, Direction=135, Strength=8);
position:relative; left:290; top:-52">
Filtre Wave</DIV>

<DIV style="font-size:36pt; width:100%; color:green;
➥filter:Glow(Add=0, Strength=6);
position:relative; left:0; top:-52">
Filtre Glow</DIV>

<DIV style="font-size:36pt; width:100%; color:green;
➥filter:DropShadow(color=#8888EE);
position:relative; left:240; top:-104">
Filtre DropShadow</DIV>

</BODY>
</HTML>
```

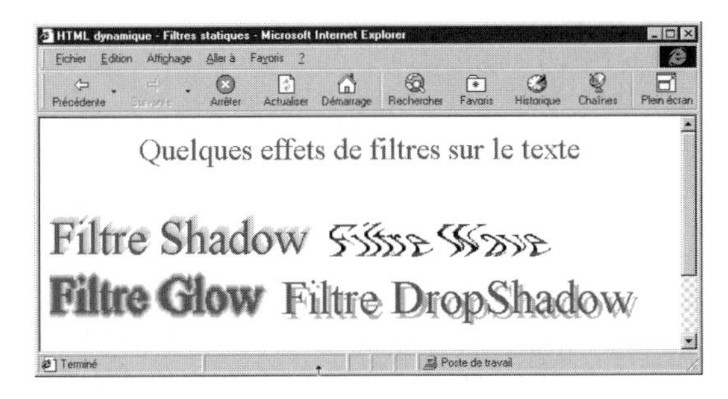

Figure B.7 : Quelques effets de filtrage statique.

Filtrage à transition

Il existe aussi une autre catégorie de fonctions qui ne sont pas à proprement parler des fonctions de filtrage, mais permettent de faire apparaître ou disparaître une image avec des effets divers : volets horizontal ou vertical, barreaux, cercles, damier, *dissolve* (l'image se dissout en particules de plus en plus petites jusqu'à disparaître, ou inversement), etc. On les met en œuvre avec les fonctions `Apply()`, `revealTrans()` et `Play()`. Il ne servirait à rien de reproduire ici une copie d'écran, car il faut les voir en action pour en apprécier l'effet.

Le format de l'écran

Cerise sur le gâteau : voici un moyen simple de savoir quel est le format d'écran utilisé par le visiteur d'une page Web. Il ne fait rien intervenir qui soit propre à Dynamic HTML, mais il montre comment on peut, en fonction des informations ainsi recueillies, modifier la disposition des éléments qui seront affichés sur la page. Nous avons pris la précaution de remplacer l'élément `BUTTON`, inconnu de Netscape, par l'élément `INPUT` avec `type="button"` pour que cet exemple soit portable sur les deux navigateurs.

```
<HTML>
<HEAD>
<TITLE>HTML dynamique - Filtres statiques</TITLE>
<SCRIPT language="javascript">
function format()
{ document.write("<H1>Votre écran a pour dimensions :
➥" + screen.width + " x " + screen.height + "</H1>")
}
</SCRIPT>
</HEAD>
<BODY>

<FORM>
Cliquez ici pour savoir <INPUT type="button" onclick
➥="format()" value="Le format d'écran utilisé">
</FORM>

</BODY>
</HTML>
```

L'instruction JavaScript `document.write` compose une commande HTML correspondant à un élément `H1` et l'écrit dans la page où elle s'exécute, donnant lieu à l'affichage reproduit sur la Figure B.8.

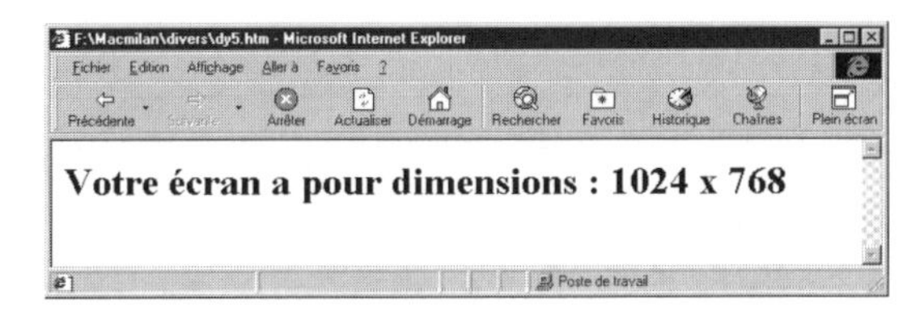

Figure B.8 : Comment reconnaître les dimensions de l'écran utilisé par un visiteur.

L'approche de Netscape

Netscape a choisi une approche conforme à ses habitudes : en créant trois nouveaux éléments pour matérialiser un concept de couches superposables (en anglais : *layers*). Un *layer* est un objet plan qui possède plusieurs propriétés : ses dimensions, sa couleur, son contenu, sa visibilité. Nous allons commencer par étudier rapidement ces trois nouveaux éléments, puis nous montrerons comment on peut les utiliser pour dynamiser HTML.

Comme avec Internet Explorer, la bonne utilisation des layers suppose la maîtrise minimale d'un langage de script, donc quelques notions de programmation. Ici, un seul langage est utilisable : JavaScript.

> **Note**
>
> A la différence de Microsoft, Netscape ne propose aucune fonction de filtrage.

Les nouveaux éléments

Netscape semble s'être inspiré des cadres puisqu'on retrouve ici trois éléments comparables à `FRAME`, `IFRAME` et `NOFRAMES`.

> **Note**
>
> Ces trois éléments n'ont pas été retenus par le W3C et ne font donc pas partie de HTML 4. C'est la raison pour laquelle nous ne les avons pas mentionnés dans la Partie I du livre. C'est aussi pour cette raison que la rubrique "Attributs communs" a disparu.

<LAYER> 

Description	Définition d'une structure de layer.
Exemple	`<LAYER id="image1" width=110 height=160 bgcolor=red pageY=150 z-index=3>`
Attributs	**Description**
Usage courant	
`background.src`	URL de l'image qui servira d'arrière-plan et sera multipliée par effet de mosaïque.
`bgcolor`	Couleur du layer.
`height`	Hauteur du layer (en valeur absolue ou relative).
`id`	Identificateur du layer (identique à `name`).
`left`	Abscisse relative du layer (distance qui le sépare du bord gauche de son conteneur : fenêtre du navigateur ou layer parent).
`name`	Identificateur du layer (identique à `id`).
`pageX`	Abscisse absolue du layer (distance qui le sépare du bord gauche de la fenêtre du navigateur).
`pageY`	Ordonnée absolue du layer (distance qui le sépare du bord supérieur de la fenêtre du navigateur).
`src`	URL d'un fichier dont le contenu doit être affiché dans le layer.
`top`	Ordonnée relative du layer (distance qui le sépare du bord supérieur de son conteneur : fenêtre du navigateur ou layer parent).
`visibility`	Détermine la visibilité du layer. Accepte l'une des valeurs `hide` (caché) ou `show` (montré).
`width`	Largeur du layer (en valeur absolue ou relative).
`zIndex`	Position du layer dans l'empilement.
Plus rarement utilisés	
`above`	Situe le layer par rapport à celui qui l'utilise (signifie *au-dessus*).

`below`	Situe le layer par rapport à celui qui l'utilise (signifie *en dessous*).
`clip`	Définition par deux paires de coordonnées d'une éventuelle fenêtre de découpage.
`parentLayer`	Nom du layer parent du présent layer ou `window` si le layer courant est celui de niveau le plus élevé.

<NOLAYER>

Description	Le contenu de cet élément sera affiché par un navigateur ne reconnaissant pas les *LAYERs*. (Dans la réalité : tous les navigateurs autres que Netscape Navigator à partir de la version 4.0.)
Restriction d'utilisation	Théoriquement, doit être placé dans une page contenant un ou plusieurs éléments `LAYER`, mais ce n'est pas indispensable.
Exemple	`<NOLAYER>Désolé, votre navigateur ne reconnaît pas les LAYERs</NOLAYER>`

Attributs	Description
Usage courant	
`id`	Identificateur de l'élément.

<ILAYER>

Description	Insertion d'un layer dans le flot des commandes d'une page.
Exemple	`<ILAYER id="texte" bgcolor =yellow top=50 width=100 height =200 z-index=2 visibility=show>`

Attributs	Description
Les mêmes que Layer	

Les méthodes attachées aux layers

Une *méthode*, c'est tout simplement une fonction, mais les informaticiens aiment beaucoup employer un jargon hermétique pour briller aux yeux des profanes. Pour agir sur le contenu d'un layer, il existe huit méthodes dont le Tableau B.1 donne la liste.

Tableau B.1 : Les méthodes attachées aux layers

Méthode	Rôle
`load`	Charger le fichier dans le layer courant.
`moveAbove`	Placer le layer courant au-dessus du layer désigné en argument.
`moveBelow`	Placer le layer courant au-dessous du layer désigné en argument.
`moveBy`	Déplacer le layer courant des deux quantités indiquées en argument (deltaX, deltaY).
`moveTo`	Positionner le layer courant aux nouvelles coordonnées (X, Y) par rapport au layer parent.
`moveToAbsolute`	Positionner le layer courant aux nouvelles coordonnées (X, Y) dans la fenêtre du navigateur.
`resizeBy`	Redimensionner le layer courant des quantités passées en argument (deltaWidth, deltaHeight).
`resizeTo`	Redimensionner le layer courant aux dimensions passées en argument (Width, Height).

Par exemple, pour déplacer un layer de 50 pixels en diagonale vers le bas et vers la droite, on écrira :

```
x = document.layers[0].pageX
y = document.layers[0].pageY
document.layers[0].moveToAbsolute(x+50, y+50)
```

Les deux premières instructions récupèrent les coordonnées de la position absolue courante du layer, puis l'appel à la méthode `moveToAbsolute` le repositionne en le décalant de 50 pixels dans les deux directions. Nous ne pouvons pas nous étendre ici sur la justification de cette écriture qui utilise des noms de variables et de méthodes totalement qualifiés (c'est-à-dire précédés du nom de l'objet qu'elles concernent ou auquel elles s'appliquent). Pour plus de détails, on pourra consulter la bibliographie en Annexe F.

Exemples d'utilisation

Peut-être encore plus que l'approche de Microsoft, celle de Netscape nécessite une bonne connaissance de la programmation en JavaScript (puisque Netscape Navigator ne reconnaît pas VBScript) en raison de la création des trois nouveaux éléments.

Exemple statique

Ce premier exemple présente simplement, en situation et de façon statique, trois layers dont deux imbriqués, selon le fragment HTML ci-dessous dont le résultat est reproduit sur la Figure B.9.

```
<HTML>
<HEAD>
<TITLE>HTML dynamique - Les layers</TITLE>
<STYLE type="text/css">
#texte {color:blue;
        font-weight:600;
        text-align:justify
       }
#image1{ text-align:center;
         color:white
       }
</STYLE>

</HEAD>

<BODY>

<LAYER id="image1" width=110 height=160 bgcolor=red
➥pageY=150 z-index=3>
<IMG src="timbre2.gif">
<FONT SIZE="+2">Vespa</FONT>
</LAYER>

<LAYER id="texte" bgcolor=yellow width=400 height=200
➥pageX=60 pageY=80 z-index=2 visibility=show>
La pendule marquait deux heures et demie : la foule bigarrée et
compacte, qui associait des faces bistre, écarlates et roses, se
   [...]
semblait mériter qu'elles engageassent la conversation.

   <LAYER id="timbre" left=340 top=-40 width=120
   ➥height=140 bgcolor=peachpuff>
   <IMG src="timbre1.gif" id="image1">
   </LAYER>

</LAYER>

</BODY>
</HTML>
```

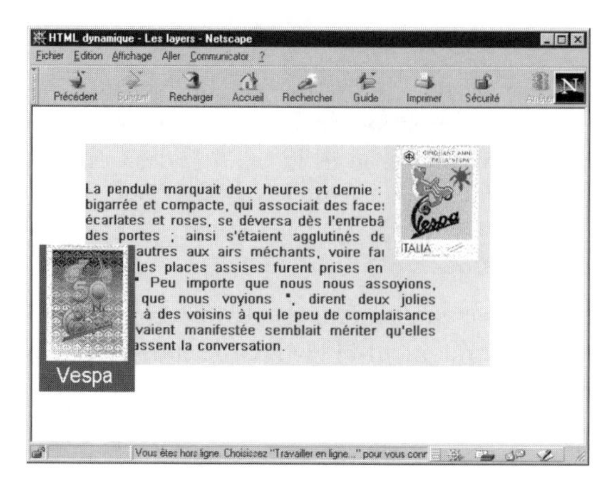

Figure B.9 : Trois layers dont deux imbriqués.

On peut faire deux remarques à propos de ce que montre la Figure B.9. D'abord, on peut placer plusieurs objets HTML dans un layer. Ainsi, ce qui est affiché dans le coin inférieur gauche contient à la fois une image et du texte. Ensuite, lorsqu'un layer est contenu dans un autre layer, il peut être amené à étendre les dimensions de son parent, comme c'est le cas pour le timbre placé dans le coin supérieur droit.

Exemple dynamique

Nous allons maintenant déplacer un layer et en modifier les dimensions. Dans le document HTML présenté ci-dessous, nous verrons que nous avons mélangé à dessein les deux façons de traiter ce problème : en modifiant directement les valeurs des propriétés et en faisant appel à des méthodes spécialisées.

```
<HTML>
<HEAD>
<title>test</title>
<SCRIPT language="javascript1.2">
function ouvrir(nom)
{ document.layers[0].src = nom
}

function agrandir(nom)
{ if (document.layers["file"].clip.width >= 800)
     alert("C'est déjà trop grand !");
  else
  { document.layers["file"].clip.width += 50;
    document.layers["file"].clip.height += 50
  }
}
```

```
function diminuer()
{ if (document.layers["file"].clip.width <= 100)
   alert("C'est bien trop petit !");
  else
  { document.layers["file"].clip.width -= 50;
    document.layers["file"].clip.height -= 50
  }
}

function droite()
{ if (document.layers["file"].pageX > 400 ||
➥document.layers["file"].pageY > 300)
   alert("Impossible !")
  else
  { x =  document.layers["file"].pageX
    y =  document.layers["file"].pageY
    document.layers["file"].moveToAbsolute(x+50, y+50)
  }
}

function gauche()
{ if (document.layers["file"].pageX < 50 ||
➥document.layers["file"].pageY < 150)
   alert("Impossible !")
  else
  { x =  document.layers["file"].pageX
    y =  document.layers["file"].pageY
    document.layers["file"].moveToAbsolute(x-50, y-50)
  }
}
</SCRIPT>
</HEAD>

<BODY>
<LAYER name="file" left=50 top=100 width=400 height=200
➥bgcolor=lightgreen>
</LAYER>

<FORM name="formu">
Nom du fichier : <INPUT type=text name="toto">
<INPUT type=button value="Ouvrir le fichier" onClick=
➥"ouvrir(formu.toto.value)">
<BR>
<INPUT type=button value="Diminuer la taille du layer"
➥onClick="diminuer()">
<INPUT type=button value="Agrandir la taille du layer"
➥onClick="agrandir()">
<BR>
<INPUT type=button value="Déplacer en bas et à droite"
➥onClick="droite()">
```

```
<INPUT type=button value="Déplacer en haut et à gauche"
➥onClick="gauche()">
</FORM>
</BODY>
```

La Figure B.10 montre comment se présente l'écran lorsque le document HTML est chargé. Sur la Figure B.11, on peut voir qu'un document a été ouvert dans le layer dont la position et les dimensions ont été modifiées.

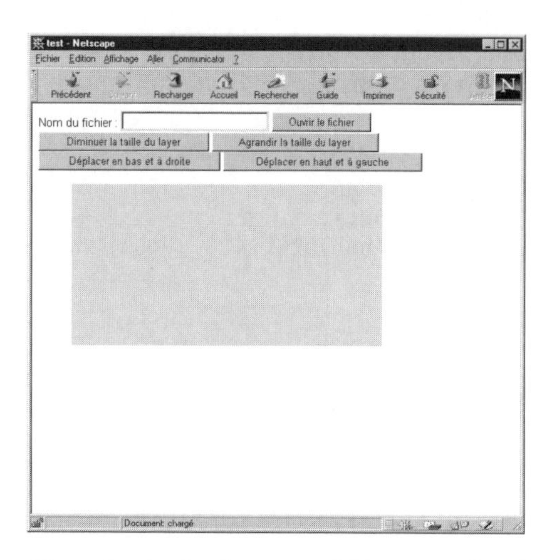

Figure B.10 : Le document HTML, une fois chargé, présente un layer vide.

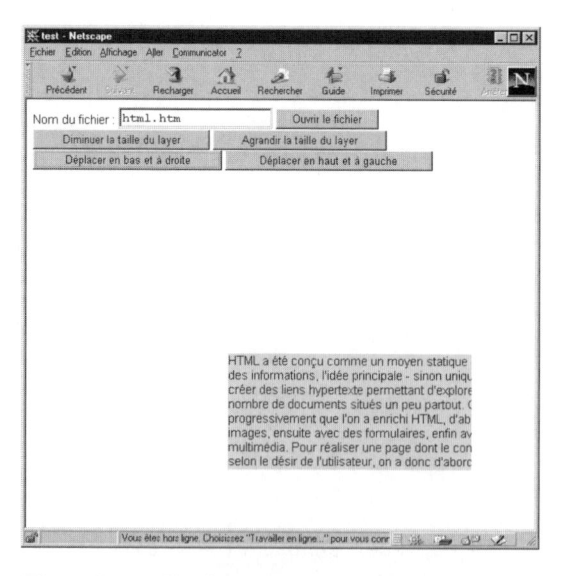

Figure B.11 : Un document a été ouvert, puis les dimensions du layer diminuées et le layer déplacé.

A nouveau, nous croyons utile de mettre en garde le lecteur contre l'utilisation de cette implémentation de Dynamic HTML par Netscape, car elle semble avoir très peu de chances d'être adoptée par d'autres éditeurs de navigateurs.

XML

XML (*Extensive Markup Language*) est, comme l'indique son nom, un langage destiné à étendre les possibilités de HTML pour améliorer la mise en pages des documents et, surtout, en préciser le contenu sémantique, principalement à l'intention des outils logiciels d'indexation et d'organisation des informations. La version actuelle (1.0) a fait l'objet d'une recommandation du W3C en date du 10 février 1998 qui peut être consultée sur le site de cet organisme à l'URL **http://www.w3.org/TR/REC-xml**. Dans son principe, XML est un sous-ensemble de SGML (ancêtre de HTML).

Ce qui fait l'originalité de XML, c'est de pouvoir être interprété de deux façons :

- Soit en ligne, lorsqu'il existera des navigateurs capables de comprendre les nouvelles balises introduites par XML (ce qui est très partiellement le cas pour Internet Explorer 4.0).
- Soit traité localement par un préprocesseur qui, à partir de document XML et d'une feuille de style appropriée, produira un document HTML pouvant être compris par un navigateur de type ordinaire. Pour cela, Microsoft propose MSXSL.EXE (qui est un programme tournant sous MS-DOS).

Pour comprendre le fonctionnement de XML, voici un exemple très simple d'un document XML que nous appellerons `hello.xml` :

```
<?xml version="1.0"?>
<greeting>Hello, world!</greeting>
```

`greeting` signifie littéralement "salut" et c'est bien le sens de cette apostrophe. Conjugué avec la feuille de style `hello.xsl` :

```
<xsl>
  <rule>
    <root/>
      <H1>
        <children/>
      </H1>
  </rule>
</xsl>
```

au moyen de la commande MS-DOS :

```
msxsl -i hello.xml -s hello.xsl -o hello.htm
```

on obtiendra le document HTML `hello.htm` suivant :

```
<H1>
Hello, world!
</H1>
```

On peut également effectuer une conversion dynamique des documents `hello.xml` et `hello.xsl` au moyen d'un contrôle ActiveX, cette fois-ci, sous Windows 95/98. Le document HTML suivant en montre un exemple :

```
<HTML>
<HEAD>
<TITLE>Un premier exemple de XML</TITLE>
<SCRIPT FOR=window EVENT=onload>
  document.all.item("xslTarget").innerHTML =XSLControl.htmlText
</SCRIPT>

</HEAD>
<BODY>

<OBJECT ID="XSLControl"
  CLASSID="CLSID:2BD0D2F2-52EC-11D1-8C69-0E16BC000000"
  codebase="http://www.microsoft.com/xml/xsl/msxsl.cab"
  style="display:none">
<PARAM NAME="documentURL" VALUE="hello.xml">
<PARAM NAME="styleURL" VALUE="hello.xsl">
</OBJECT>

<DIV id=xslTarget></DIV>

</BODY>
</HTML>
```

La première fois que ce code sera chargé, la connexion s'établira avec le serveur de Microsoft et le contrôle ActiveX sera chargé (environ 2 minutes à 28,8 Kbps) et installé sous forme de deux DLL : MSXSL.DLL et XSLCTRL.DLL (avec, en plus, une troisième, ATL.DLL, si elle n'est pas déjà présente dans le système). Le message reproduit sur la Figure B.12 sera préalablement affiché. Il s'agit d'un contrôle de sécurité signifiant que Microsoft se porte garant de la totale sécurité d'utilisation de ce contrôle.

La Figure B.13 montre le résultat (sans surprise) obtenu.

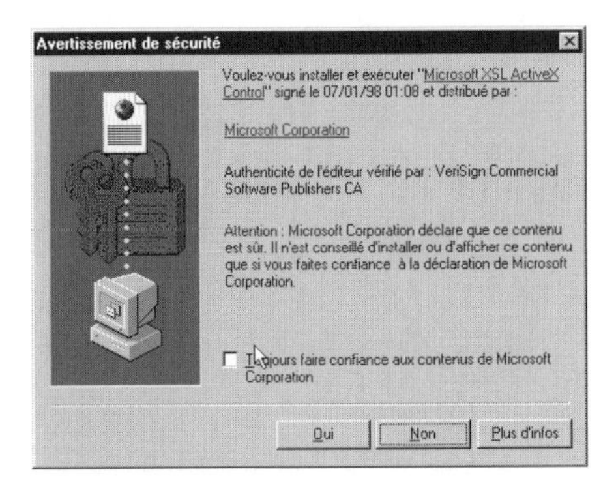

Figure B.12 : Avertissement de sécurité préalable au chargement d'un contrôle ActiveX.

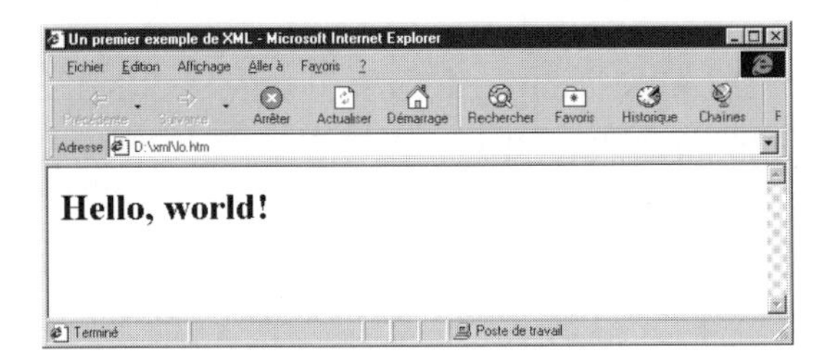

Figure B.13 : Résultat de l'exécution du document HTML précédent.

Astuce

Les fois suivantes, on gagnera du temps en simplifiant l'attribut `codebase` de l'élément `OBJECT` en : `codebase = msxsl.cab`.

Des applications bien plus élaborées peuvent être réalisées comme en témoignent, par exemple, MathML qui va être brièvement décrit dans la section suivante, et l'exemple suivant appliqué à un catalogue de livres :

```
<livre>
  <titre>Les Pensées de San-Antonio</titre>
  <auteur>Frédéric Dard</auteur>
  <editeur>Le cherche midi</editeur>
  <isbn>2-86274-476-X</isbn>
  <pages>196</pages>
  <prix>82.</prix>
  <depot_legal>octobre 1996</depot_legal>
  <resume>Recueil d'aphorismes récoltés dans les
  ➥différents ouvrages de l'auteur</resume>
</livre>
```

A l'aide d'une feuille de style XSL appropriée, ce document pourrait être traduit ainsi en pur HTML :

```
<UL>
  <LI><B>Les Pensées de San-Antonio<B>
  <LI>Frédéric Dard
  <LI>Le cherche midi
  <LI>2-86274-476-X
  <LI >196
  <LI >82.
  <LI>octobre 1996
  <LI >Recueil d'aphorismes récoltés dans les différents
  ➥ouvrages de l'auteur
</UL>
```

On voit que XML permet de préserver le contenu sémantique du document original, la signification de chaque rubrique étant évidente, ce qui n'est plus le cas après la traduction en HTML. Ainsi, comme c'est le document XML auquel accéderont les robots des moteurs de recherche, il sera plus facile de cataloguer exactement les présentations Web dans les rubriques qui leur conviennent.

Pour plus de détails, on pourra consulter les références suivantes :

- *XML, Extensible Markup Language*, par Elliotte Rusty Rarold, éd. IDG, 1998.
- **http://msdn.microsoft.com/xml/default.asp?RLD=66**
- **http://msdn.microsoft.com/xml/c-frame.htm?953098495840#/xml/index.asp**
- **http://metalab.unc.edu/xml/**

MathML

MathML (*Mathematical Markup Language*) est une application XML destinée à permettre la représentation de textes mathématiques sur le Web, de la même façon que HTML le fait pour le texte. Une première tentative avait été faite par le W3C avec la spécification HTML 3.0, trop complexe pour être implémentée telle quelle. Cette nouvelle approche a des chances d'être plus heureuse. Toutefois, il ne s'agit pas là d'un outil destiné aux auteurs Web, mais plus exactement d'un moyen de restitution pouvant être incorporé à un logiciel d'édition d'équations ou d'expressions mathématiques au sens le plus large. La complexité de la structure même de la notation mathématique et l'utilisation de caractères spécifiques justifient cette approche.

La spécification la plus récente porte le numéro 2.0 et date du 11 février 2000. On peut en télécharger le texte intégral sur le site du W3C, à l'URL **http://www.w3.org/TR//WD/MathML-20000211** ou, sous forme de fichier compressé, à l'URL **http://www.w3.org/TR/MathML2/WD-MathML2-20000211.zip**.

MathML a été conçu pour permettre la codification d'informations mathématiques au plus bas niveau dans une architecture à deux couches de façon à préserver le contenu sémantique, ainsi que la notation, pour en permettre l'exploitation facile par différents outils logiciels (affichage, indexation, etc.).

A titre d'exemple, voici (extrait du document cité en référence) comment se présente l'écriture de la formule donnant la valeur des racines de l'équation du second degré : $a.x^2 + b.x + c = 0$:

$$x = \frac{-b \pm \sqrt{b^2 - 4ac}}{2a}$$

```
<mrow>
  <mi>x</mi>
  <mo>=</mo>
  <mfrac>
    <mrow>
      <mrow>
        <mo>-</mo>
        <mi>b</mi>
      </mrow>
      <mo>&PlusMinus;</mo>
      <msqrt>
        <mrow>
          <msup>
            <mi>b</mi>
            <mn>2</mn>
          </msup>
          <mo>-</mo>
          <mrow>
            <mn>4</mn>
            <mo>&InvisibleTimes;</mo>
            <mi>a</mi>
            <mo>&InvisibleTimes;</mo>
            <mi>c</mi>
          </mrow>
        </mrow>
      </msqrt>
    </mrow>
    <mrow>
      <mn>2</mn>
      <mo>&InvisibleTimes;</mo>
      <mi>a</mi>
    </mrow>
  </mfrac>
</mrow>
```

Comme MathML est une application XML, les textes mathématiques qui seront élaborés avec des éditeurs d'équations appliquant ce langage pourront être vus par n'importe quel navigateur supportant XML.

C
Les entités de caractères

Généralités

Rappelons que l'alphabet utilisé par HTML est l'alphabet ASCII standard de 128 caractères avec lequel il n'est pas possible de représenter les caractères accentués. Pour contourner cet obstacle, HTML utilise une représentation appelée *entités de caractères* qui consiste en une désignation abrégée du caractère à coder encadrée à gauche par "&" et à droite par ";". On peut remplacer la désignation abrégée par le code numérique représentant la position du caractère dans le jeu utilisé.

Outre les caractères nationaux (é, è, à... pour la France, ñ pour l'Espagne, par exemple) quatre caractères "normaux" doivent toujours être codés sous forme d'entités dans un document HTML parce qu'ils jouent un rôle particulier dans la grammaire du langage. Ce sont :

- `<` ou `<` qui représente le caractère "inférieur à" (<).
- `>` ou `>` qui représente le caractère "supérieur à" (>).
- `&` ou `&` qui représente le "et commercial" (&).
- `"` ou `"` qui représente le guillemet (").

N'oublions pas l'espace insécable (` `) qui joue un rôle important, en particulier dans l'affichage correct des cellules de tableaux vides.

Tableau des caractères nationaux

Le Tableau C.1 présente les entités de caractères correspondant à la représentation de quelques caractères nationaux auxquels ont été ajoutés quelques caractères "de service". On pourra remarquer l'absence du "e dans l'o" comme dans œuvre ou cœur. Il existe pourtant, mais en dehors de l'espace (0, 255) et, seul, Internet Explorer le reconnaît. Nous l'avons ajouté à la fin du Tableau C.1.

Il existe d'autres entités permettant la représentation des couleurs du jeu de cartes ou de symboles mathématiques, mais leur support n'est pas correctement assuré par tous les navigateurs. Aussi ne les avons-nous pas fait figurer dans ce tableau.

Tableau C.1 : Tableau des caractères nationaux

Alphabétique	Numérique	Description
		espace insécable
¡	¡	point d'exclamation inversé (¡)
¢	¢	"cent" (monnaie américaine)
£	£	Livre sterling (£)
¤	¤	symbole monétaire (¤)
¥ ;	¥	Yen (¥)
¦	¦	barre verticale (|)
§	§	symbole de section (édition)
¨ ;	¨	tréma (¨)
©	©	copyright (©)
ª	ª	indicateur ordinal féminin (ª)
«	«	guillemet anglais ouvrant (“)
¬ ;	¬	crochet de négation (¬)
;		tiret de césure (–)
® ;	®	marque déposée (®)
¯	¯	macron (¯)
° ;	°	degré (°)
±	±	symbole "plus ou moins" (±)
²	²	exposant 2 (^{2})
³	³	exposant 3 (^{3})
´	´	accent aigu (´)
µ	µ	lettre grecque mu (µ)
¶	¶	symbole "paragraphe" (§)
·	·	point médian (·)
¸	¸	cédille
¹	¹	exposant 1 (^{1})
º	º	indicateur ordinal masculin
»	»	guillemet anglais fermant (”)

Tableau C.1 : Tableau des caractères nationaux (*Suite)*

Alphabétique	Numérique	Description
¼	¼	un quart ($^{1}/_{4}$)
½	½	un demi ($^{1}/_{2}$)
¾	¾	trois quarts ($^{3}/_{4}$)
¿	¿	point d'interrogation inversé (¿)
À	À	A accent grave (À)
Á	Á	A accent aigu (Á)
Â	Â	A accent circonflexe (Â)
Ã	Ã	A tilde (Ã)
Ä	Ä	A tréma (Ä)
Å	Å	A anneau (Å)
Æ	Æ	E dans l'A (Æ)
Ç	Ç	C cédille (Ç)
È	È	E accent grave (È)
É	É	E accent aigu (É)
Ê	Ê	E accent circonflexe (Ê)
Ë	Ë	E tréma (Ë)
Ì	Ì	I accent grave (Ì)
Í	Í	I accent aigu (Í)
Î	Î	I accent circonflexe (Î)
Ï	Ï	I tréma (Ï)
Ð ;	Ð	Eth majuscule (Islande : Ð)
Ñ	Ñ	N tilde (Ñ)
Ò	Ò	O accent grave (Ò)
Ó	Ó	O accent aigu (Ó)
Ô	Ô	O accent circonflexe (Ô)
Õ	Õ	O tilde (Õ)
Ö	Ö	O tréma (Ö)
×	×	symbole de la multiplication (×)

Tableau C.1 : Tableau des caractères nationaux (*Suite)*

Alphabétique	Numérique	Description
Ø	Ø	O barré (Ø)
Ù	Ù	U accent grave (Ù)
Ú	Ú	U accent aigu (Ú)
Û	Û	U accent circonflexe (Û)
Ü	Ü	U tréma (Ü)
Ý	Ý	Y accent aigu (Ý)
Þ	Þ	THORN (islande : Þ)
ß	ß	sz ligature (ß)
à	à	a accent grave (à)
á	á	a accent aigu (á)
â	â	a accent circonflexe (â)
ã	ã	a tilde (ã)
ä	ä	a tréma (ä)
å	å	a anneau (å)
æ	æ	e dans l'a (æ)
ç	ç	c cédille (ç)
è	è	e accent grave (è)
é	é	e accent aigu (é)
ê	ê	e accent circonflexe (ê)
ë	ë	e tréma (ë)
ì	ì	i accent grave (ì)
í	í	i accent aigu (í)
î	î	i accent circonflexe (î)
ï	ï	i tréma (ï)
ð ;	ð	eth (Islande : ð)
ñ	ñ	n tilde (ñ)
ò	ò	o accent grave (ò)
ó	ó	o accent aigu (ó)

Tableau C.1 : Tableau des caractères nationaux (*Suite)*

Alphabétique	Numérique	Description
ô	ô	o accent circonflexe (ô)
õ	õ	o tilde (õ)
ö	ö	o tréma (ö)
÷	÷	symbole de la division (÷)
ø	ø	o barré (ø)
ù	ù	u accent grave (ù)
ú	ú	u accent aigu (ú)
û	û	u accent circonflexe (û)
ü	ü	u tréma (ü)
ý	ý	y accent aigu (ý)
þ	þ	thorn (Islande : þ)
ÿ	ÿ	y tréma (ÿ)
œ	Œ	œ
Œ	œ	Œ

D
Les noms des couleurs

Dans une démarche minimaliste, le W3C reconnaît officiellement 16 couleurs qui se satisfont donc d'une simple carte vidéo VGA et dont le Tableau D.1 présente les noms et triplets RGB :

Tableau D.1 : Noms et valeurs hexadécimales des 16 couleurs et triplets RGB officiels

Nom de couleur	Triplet RGB	Equivalent français
aqua	"#00FFFF"	Vert d'eau
black	"#000000"	Noir
blue	"#0000FF"	Bleu
fuchsia	"#FF00FF"	Fuchsia
grey	"#808080"	Gris
green	"#008000"	Vert
lime	"#00FF00"	Citron vert
maroon	"#800000"	Marron
navy	"#000080"	Bleu marine
olive	"#808000"	Olive
purple	"#800080"	Pourpre
red	"#FF0000"	Rouge
silver	"#C0C0C0"	Argent
teal	"#008080"	Sarcelle
white	"#FFFFFF"	Blanc
yellow	"#FFFF00"	Jaune

La palette réellement utilisable (et utilisée) est heureusement plus riche. Elle suppose l'existence d'une carte vidéo Super VGA, ce qui est presque toujours réalisé. Le Tableau D.2 présente une liste des noms de 140 couleurs reconnues par Netscape Navigator et Internet Explorer, ainsi que de leurs équivalents hexadécimaux sous forme de triplets RGB.

Tableau D.2 : Noms et valeurs hexadécimales des couleurs et triplets RGB généralement utilisés

Nom de couleur	Triplet RGB	Equivalent français
aliceblue	#F0F8FF	Bleu Alice
antiquewhite	#FAEBD7	Blanc antique
aqua	#00FFFF	Vert d'eau
aquamarine	#7FFFD4	Bleu vert
azured	#F0FFFF	Azur
beige	#F5F5DC	Beige
bisque	#FFE4C4	Bisque
black	#000000	Noir
blanchedalmond	#FFEBCD	Amande blanchie
blue	#0000FF	Bleu
blueviolet	#8A2BE2	Bleu violet
brown	#A52A2A	Brun
burlywood	#DEB887	Bois brut
cadetblue	#5F9EA0	Bleu cadet
chartreuse	#7FFF00	Chartreuse
chocolate	#D2691E	Chocolat
coral	#FF7F50	Corail
cornflowerblue	#6495ED	Bleu barbeau
cornsilk	#FFF8DC	Barbe de maïs
crimson	#DC143C	Cramoisi
cyan	#00FFFF	Cyan
darkblue	#00008B	Bleu foncé
darkcyan	#008B8B	Cyan foncé

Tableau D.2 : Noms et valeurs hexadécimales des couleurs et triplets RGB généralement utilisés (*Suite)*

Nom de couleur	Triplet RGB	Equivalent français
darkgoldenrod	#B8860B	Verge d'or foncé
darkgray	#A9A9A9	Gris foncé
darkgreen	#006400	Vert foncé
darkkhaki	#BDB76B	Kaki foncé
darkmagenta	#8B008B	Magenta foncé
darkolivegreen	#556B2F	Vert olive foncé
darkorange	#FF8C00	Orange foncé
darkorchid	#9932CC	Orchidée foncé
darkred	#8B0000	Rouge foncé
darksalmon	#E9967A	Saumon foncé
darkseagreen	#8FBC8F	Vert marin foncé
darkslateblue	#483D8B	Bleu ardoise foncé
darkslategray	#2F4F4F	Gris ardoise foncé
darkturquoise	#00CED1	Turquoise foncé
darkviolet	#9400D3	Violet foncé
deeppink	#FF1493	Rose soutenu
deepskyblue	#00BFFF	Bleu ciel intense
dimgray	#696969	Gris pâle
dodgerblue	#1E90FF	Bleuté
firebrick	#B22222	Brique feu
floralwhite	#FFFAF0	Blanc floral
forestgreen	#228B22	Vert forêt
fuchsia	#FF00FF	Fuchsia
gainsboro	#DCDCDC	Gainsborough (gris léger)
ghostwhite	#F8F8FF	Fantôme blanc
gold	#FFD700	Or

Tableau D.2 : Noms et valeurs hexadécimales des couleurs et triplets RGB généralement utilisés (*Suite)*

Nom de couleur	Triplet RGB	Equivalent français
goldenrod	#DAA520	Verge d'or
gray	#808080	Gris
green	#008000	Vert
greenyellow	#ADFF2F	Vert jaune
honeydew	#F0FFF0	Miellé
hotpink	#FF69B4	Cuisse de nymphe émue
indianred	#CD5C5C	Rouge indien
indigo	#4B0082	Indigo
ivory	#FFFFF0	Ivoire
khaki	#F0E68C	Kaki
lavender	#E6E6FA	Lavande
lavenderblush	#FFF0F5	Bleu lavande
lawngreen	#7CFC000	Herbe verte
lemonchiffon	#FFFACD	Mousseline citron
lightblue	#ADD8E6	Bleu clair
lightcoral	#F08080	Corail clair
lightcyan	#E0FFFF	Cyan clair
lightgoldenrodyellow	#FAFAD2	Verge d'or jaunâtre
lightgreen	#90EE90	Vert clair
lightgrey	#D3D3D3	Gris clair
lightpink	#FFB6Cl	Rose clair
lightsalmon	#FFA07A	Saumon clair
lightseagreen	#20B2AA	Vert marin clair
lightskyblue	#87CEFA	Bleu ciel clair
lightslategray	#778899	Gris ardoise clair
lightsteelblue	#B0C4DE	Bleu acier clair
lightyellow	#FFFFE0	Jaune clair

Tableau D.2 : Noms et valeurs hexadécimales des couleurs et triplets RGB généralement utilisés (*Suite*)

Nom de couleur	Triplet RGB	Equivalent français
lime	#00FF00	Tilleul
limegreen	#32CD32	Citron vert
linen	#FAF0E6	Linon
magenta	#FF00FF	Magenta
maroon	#800000	Marron
mediumaquamarine	#66CDAA	Bleu vert moyen
mediumblue	#0000CD	Bleu moyen
mediumorchid	#BA55D3	Orchidée moyen
mediumpurple	#9370DB	Pourpre moyen
mediumseagreen	#3CB371	Vert marin moyen
mediumslateblue	#7B68EE	Bleu ardoise moyen
mediumspringgreen	#00FA9A	Vert printemps moyen
mediumturquoise	#48D1CC	Turquoise moyen
mediumvioletred	#C71585	Rouge violet moyen
midnightblue	#191970	Bleu nuit moyen
mintcream	#F5FFFA	Crème de menthe
mistyrose	#FFE4El	Rose fané
moccasin	#FFE4B5	Mocassin
navajowhite	#FFDEAD	Blanc navajo
navy	#000080	Marine
oldlace	#FDF5E6	Vieille dentelle
olive	#808000	Olive
olivedrab	#6B8E23	Olive terne
orange	#FFA500	Orange
orangered	#FF4500	Rouge orangé
orchid	#DA70D6	Orchidée
palegoldenrod	#EEE8AA	Verge d'or pâle

Tableau D.2 : Noms et valeurs hexadécimales des couleurs et triplets RGB généralement utilisés (*Suite)*

Nom de couleur	Triplet RGB	Equivalent français
palegreen	#98FB98	Vert pâle
paleturquoise	#AFEEEE	Turquoise pâle
palevioletred	#DB7093	Rouge violet pâle
papayawhip	#FFEFD5	Mousse à la papaye
peachpuff	#FFDAB9	Fleur de pêcher
peru	#CD853F	Pérou
pink	#FFC0CB	Rose
plum	#DDA0DD	Prune
powderblue	#B0E0E6	Bleu léger
purple	#800080	Pourpre
red	#FFBB00	Rouge
rosybrown	#BC8F8F	Brun rosé
royalblue	#416901	Bleu roi
saddlebrown	#8B4513	Brun selle
salmon	#FA8072	Saumon
sandybrown	#F4A460	Brun sable
seagreen	#2E8B57	Vert marin
seashell	#FFF5EE	Coquillage
sienna	#A0522D	Terre de Sienne
silver	#C0C0C0	Argent
skyblue	#87CEEB	Bleu ciel
slateblue	#6A5ACD	Bleu ardoise
slategray	#708090	Gros ardoise
snow	#FFFAFA	Neige
springgreen	#00FF7F	Vert printemps
steelblue	#4682B4	Bleu acier
tan	#D2B48C	Tan

Tableau D.2 : Noms et valeurs hexadécimales des couleurs et triplets RGB généralement utilisés (*Suite)*

Nom de couleur	Triplet RGB	Equivalent français
teal	#008080	Sarcelle
thistle	#D8BFD8	Chardon
tomato	#FF6347	Tomate
turquoise	#40E0D0	Turquoise
violet	#EE82EE	Violet
wheat	#F5DEB3	Froment
white	#FFFFFF	Blanc
whitesmoke	#F5F5F5	Fumée blanche
yellow	#FFFF00	Jaune
yellowgreen	#9ACD32	Jaune vert

D'autre part, lors de la sortie de Netscape Navigator 2.0, Netscape a défini un modèle de 216 couleurs dites "sûres", correspondant à un "cube de couleurs" de 6 × 6 × 6, c'est-à-dire à la totalité des combinaisons possibles des valeurs hexadécimales #00, #33, #66, #99, #CC et #FF pour chacune des composantes rouge, bleu et verte. Il s'agit d'un modèle de couleur permettant un rendu satisfaisant avec un affichage en 256 couleurs, tout en évitant le tramage. La justification de ce modèle — qui sort du cadre de cet ouvrage — peut être consultée à l'URL : **http://the-light.com/netcol.html**. Le Tableau D.3 donne la liste de ces combinaisons.

Tableau D.3 : Liste des 216 couleurs "sûres"

```
#000000  #000033  #000066  #000099  #0000CC  #0000FF
#003300  #003333  #003366  #003399  #0033CC  #0033FF
#006600  #006633  #006666  #006699  #0066CC  #0066FF
#009900  #009933  #009966  #009999  #0099CC  #0099FF
#00CC00  #00CC33  #00CC66  #00CC99  #00CCCC  #00CCFF
#00FF00  #00FF33  #00FF66  #00FF99  #00FFCC  #00FFFF
#330000  #330033  #330066  #330099  #3300CC  #3300FF
#333300  #333333  #333366  #333399  #3333CC  #3333FF
#336600  #336633  #336666  #336699  #3366CC  #3366FF
#339900  #339933  #339966  #339999  #3399CC  #3399FF
#33CC00  #33CC33  #33CC66  #33CC99  #33CCCC  #33CCFF
#33FF00  #33FF33  #33FF66  #33FF99  #33FFCC  #33FFFF
```

#660000	#660033	#660066	#660099	#6600CC	#6600FF
#663300	#663333	#663366	#663399	#6633CC	#6633FF
#666600	#666633	#666666	#666699	#6666CC	#6666FF
#669900	#669933	#669966	#669999	#6699CC	#6699FF
#66CC00	#66CC33	#66CC66	#66CC99	#66CCCC	#66CCFF
#66FF00	#66FF33	#66FF66	#66FF99	#66FFCC	#66FFFF
#990000	#990033	#990066	#990099	#9900CC	#9900FF
#993300	#993333	#993366	#993399	#9933CC	#9933FF
#996600	#996633	#996666	#996699	#9966CC	#9966FF
#999900	#999933	#999966	#999999	#9999CC	#9999FF
#99CC00	#99CC33	#99CC66	#99CC99	#99CCCC	#99CCFF
#99FF00	#99FF33	#99FF66	#99FF99	#99FFCC	#99FFFF
#CC0000	#CC0033	#CC0066	#CC0099	#CC00CC	#CC00FF
#CC3300	#CC3333	#CC3366	#CC3399	#CC33CC	#CC33FF
#CC6600	#CC6633	#CC6666	#CC6699	#CC66CC	#CC66FF
#CC9900	#CC9933	#CC9966	#CC9999	#CC99CC	#CC99FF
#CCCC00	#CCCC33	#CCCC66	#CCCC99	#CCCCCC	#CCCCFF
#CCFF00	#CCFF33	#CCFF66	#CCFF99	#CCFFCC	#CCFFFF
#FF0000	#FF0033	#FF0066	#FF0099	#FF00CC	#FF00FF
#FF3300	#FF3333	#FF3366	#FF3399	#FF33CC	#FF33FF
#FF6600	#FF6633	#FF6666	#FF6699	#FF66CC	#FF66FF
#FF9900	#FF9933	#FF9966	#FF9999	#FF99CC	#FF99FF
#FFCC00	#FFCC33	#FFCC66	#FFCC99	#FFCCCC	#FFCCFF
#FFFF00	#FFFF33	#FFFF66	#FFFF99	#FFFFCC	#FFFFFF

Le lecteur intéressé par les problèmes que pose la représentation des couleurs trouvera une étude très complète du systèmes RGB proposé par Hewlett-Packard et Microsoft à l'URL **http://www.w3.org/Graphics/Color/sRGB**.

E
Types MIME

Le Tableau E.1 donne la liste des principaux types MIME reconnus par la plupart des navigateurs.

Tableau E.1 : Types MIME les plus courants

Type MIME	Correspondance	Extension de fichier
application/acad	Fichiers de dessin AutoCAD	dwg, DWG
application/arj	Archive	arj
application/clariscad	Fichiers ClarisCAD	CCAD
application/dxf	DXF (AutoCAD)	dxf, DXF
application/excel	Excel (Microsoft)	xl
application/mac-binhex40	Format Macintosh BinHex	hqx
application/msword	Word (Microsoft)	word, w6w, doc
application/mswrite	Write (Microsoft)	wri
application/octet-stream	Binaire non interprété	bin
application/pdf	PDF (Acrobat Adobe)	pdf
application/postscript	PostScript	ai, PS, ps, eps
application/rtf	Format RTF	rtf
application/sla	Stereolithographie	stl, STL
application/x-csh	Script C-shell	csh
application/x_director	Macromedia Director	dir, dcr, dxr
application/x-dvi	DVI TeX	dvi
application/x-gzip	Zip GNU	gz, gzip
application/x-latex	Source LaTeX	latex

Tableau E.1 : Types MIME les plus courants (*Suite)*

Type MIME	Correspondance	Extension de fichier
`application/x-sh`	Bourne shell script	`sh`
`applicationx-stuffit`	Archives StuffIt	`sit`
`application/x-tcl`	TCL script	`tcl`
`application/x-tex`	Source TeX	`tex`
`application/x-texinfo`	Texinfo (emacs)	`texinfo`, `texi`
`application/x-troff`	troff	`t`, `tr`, `roff`
`application/x-troff-man`	troff avec macros MAN	`man`
`application/x-troff-me`	troff avec macros ME	`me`
`application/x-troff-ms`	troff avec macros MS	`ms`
`application/zip`	Archive ZIP	`zip`
`application/x-gtar`	GNU tar	`gtar`
`application/x-shar`	Archive Shell	`shar`
`application/x-sv4cpio`	SVR4 CPIO	`sv4cpio`
`application/x-sv4crc`	SVR4 CPIO avec CRC	`sv4crc`
`application/x-tar`	format tar 4.3BSD	`tar`
`application/x-ustar`	format tar POSIX	`ustar`
`applicationx-winhelp`	Fichiers d'aide Windows	`hlp`
`audio/basic`	Audio élémentaire (généralement, µ-law)	`au`, `snd`
`audio/x-aiff`	Audio AIFF	`aif`, `aiff`, `aifc`
`audio/x-pn-realaudio`	RealAudio	`ra,ram`
`audio/x-pn-realaudio-plugin`	RealAudio (plug-in)	`rpm`
`audio/x-wav`	Audio Windows WAVE	`wav`
`image/gif`	Images GIF	`gif`
`image/ief`	Format Image Exchange	`ief`
`image/jpeg`	Images JPEG	`jpg`, `JPG`, `JPE`, `jpe`, `JPEG`, `jpeg`

Tableau E.1 : Types MIME les plus courants (*Suite*)

Type MIME	Correspondance	Extension de fichier
image/pict	Macintosh PICT	pict
image/tiff	Images TIFF	tiff, tif
image/x-portable-anymap	Format PBM Anymap	pnm
image/x-portable-bitmap	Format PBM Bitmap	pbm
image/x-portable-graymap	Format PBM Graymap	pgm
image/x-portable-pixmap	Format PBM Pixmap	ppm
image/x-rgb	Image RGB	rgb
image/x-xbitmap	X Bitmap	xbm
image/x-xpixmap	X Pixmap	xpm
image/x-xwindowdump	Dump X Window (Format xwd)	xwd
multipart/x-zip	Archive PKZIP	zip
multipart/x-gzip	Archive GNU ZIP	gzip
text/html	HTML	html, htm
text/plain	Texte pur	txt, c, h, cc, hh, cpp, hpp
text/richtext	MIME Richtext	rtx
text/tab-separated-values	Texte tabulé	tsv
text/x-setext	Texte structuré enrichi	etx
video/mpeg	Vidéo MPEG	mpeg, mpg, MPG, MPE, mpe, MPEG, mpeg
video/quicktime	Vidéo QuickTime	qt, mov
video/x-msvideo	Microsoft Windows Video	avi
video/x-sgi-movie	Format MoviePlayer SGI	movie
x-world/x-vrml	Mondes VRML	wrl

F
Courte bibliographie

Ouvrages en français

- *Créer votre page Web*, coll. *Se former en un jour*, par Michel Dreyfus, 3e éd. CampusPress, 2000.
- *Créer sa page Web* , coll. *Le Starter* par Michel Dreyfus, 2e éd. CampusPress, 2000.
- *Se former à FrontPage 98 en un jour*, par Thomas Guillemain, éd. CampusPress, 1999.
- *HTML 4*, coll. *Le Tout en Poche*, par Disk Olivier, éd. CampusPress, 1999.
- *HTML 4*, par Michel Dreyfus, éd. Sybex 2000.
- *JavaScript*, par Michel Dreyfus, éd. Sybex 1999.
- *Internet*, coll. *Se former en un jour*, par Michel Dreyfus, 3e éd. CampusPress, 2000.
- *Internet,* coll. *Le Starter* par Michel Dreyfus, éd. CampusPress, 2000.
- *Créer un site Internet*, coll. *Solutions.net*, par Eric Charton et Olivier Pavie, éd. CampusPress, 2000.
- *Se former à la Recherche sur Internet en un jour*, par Gilles Fouchard, éd. CampusPress, 1999.
- *Se former à Internet Explorer en un jour*, par Michel Pelletier, éd. CampusPress, 1999.
- *Le Programmeur Java 2*, par Laura Lemay et Rogers Cadenhead, éd. CampusPress, 2000.

Ouvrages en anglais

- *Dynamic HTML*, par Shelley Powers, éd. IDG, 1998.
- *Dynamic HTML reference and software development kit,* Microsoft Press, 1999.

- *XML, Extensible Markup Language*, par Elliotte Rusty Rarold, éd. IDG, 1998.
- *Inside XML DTDS* par St. Laurent, éd. Mac Graw Hill USA, 1999.
- *XML WEB kit* par Goldfarb, éd. Prentice Hall, 2000.
- *Building web sites with XML* par M. Floyd, éd. Prentice Hall, 2000.

Dépôt légal : juin 2004
IMPRIMÉ EN FRANCE

Achevé d'imprimer le 18 juin 2004
sur les presses de l'imprimerie «La Source d'Or»
63200 Marsat
Imprimeur n° 9691